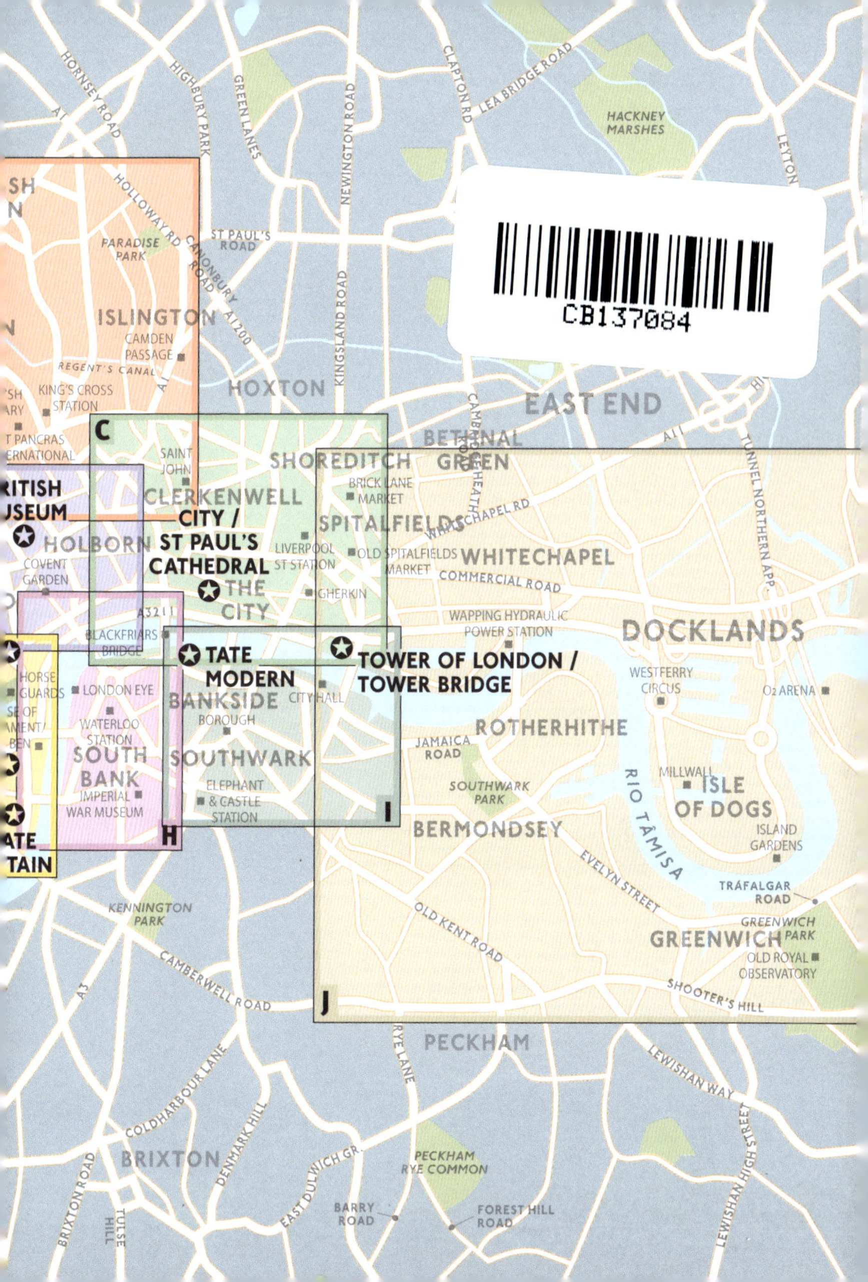
HORNSEY ROAD
A1
HIGHBURY PARK
GREEN LANES
NEWINGTON ROAD
CLAPTON RD
LEA BRIDGE ROAD
HACKNEY MARSHES
LEYTON
HOLLOWAY RD
PARADISE PARK
CANONBURY ROAD
ST PAUL'S ROAD
A1200
ISLINGTON
CAMDEN PASSAGE
REGENT'S CANAL
KINGSLAND ROAD
HOXTON
KING'S CROSS STATION
ST PANCRAS INTERNATIONAL
C
SAINT JOHN
SHOREDITCH
BETHNAL GREEN
EAST END
CAMBRIDGE HEATH
A11
TUNNEL NORTHERN APP.
BRICK LANE MARKET
CLERKENWELL
BRITISH MUSEUM
CITY / ST PAUL'S CATHEDRAL
HOLBORN
SPITALFIELDS
WHITECHAPEL RD
COVENT GARDEN
LIVERPOOL ST STATION
OLD SPITALFIELDS MARKET
WHITECHAPEL
THE CITY
GHERKIN
COMMERCIAL ROAD
A3211
BLACKFRIARS BRIDGE
WAPPING HYDRAULIC POWER STATION
DOCKLANDS
TATE MODERN
TOWER OF LONDON / TOWER BRIDGE
WESTFERRY CIRCUS
HORSE GUARDS
LONDON EYE
BANKSIDE
CITY HALL
O2 ARENA
WATERLOO STATION
BOROUGH
ROTHERHITHE
JAMAICA ROAD
SOUTH BANK
SOUTHWARK
MILLWALL
ISLE OF DOGS
IMPERIAL WAR MUSEUM
ELEPHANT & CASTLE STATION
SOUTHWARK PARK
RIO TÂMISA
I
H
BERMONDSEY
ISLAND GARDENS
EVELYN STREET
TATE BRITAIN
TRAFALGAR ROAD
KENNINGTON PARK
OLD KENT ROAD
GREENWICH PARK
GREENWICH
OLD ROYAL OBSERVATORY
CAMBERWELL ROAD
A3
SHOOTER'S HILL
J
PECKHAM
RYE LANE
LEWISHAN WAY
COLDHARBOUR LANE
DENMARK HILL
LEWISHAN HIGH STREET
BRIXTON
EAST DULWICH GR.
PECKHAM RYE COMMON
BARRY ROAD
FOREST HILL ROAD
BRIXTON ROAD
TULSE HILL

Medidas

Distâncias

- 1 polegada = 2,54cm
- 1 pé = 30,48cm
- 1 jarda = 91,44cm
- 1 milha = 1,609km

Pesos e capacidades

- 1 libra = 453g
- 1 pinta = 0,57 litro
- 1 galão = 4,546 litro

Medidas

- Roupas M: 10 = 38; 12 = 40; 14 = 42
- Roupas H: 36 = 46; 38 = 48; 40 = 50
- Calçados: 4 = 37; 5 = 38; 6 = 39; 7 = 40; 9 = 42; 10 = 43

Eletricidade

Leve um adaptador com três pinos achatados.

GLOUCESTER TERRACE

BRICK LANE

A cozinha de grandes chefs no Regent's Park (**E** C1).

City of London Festival
→ *Meados jun-meados jul*
www.colf.org
Música, teatro e dança. Espetáculos gratuitos.

Julho-agosto

Wimbledon
→ *Fim jun-início jul*
Grand Slam de tênis.

Swan Upping on the Thames
→ *1 semana jul*
O recenseamento dos cisnes do Tâmisa por remadores fantasiados – uma tradição de nove séculos!

Proms
→ *Meados jul-meados set*
www.bbc.co.uk/proms
Concertos clássicos no Royal Albert Hall (**G** B1).

Notting Hill Carnival
→ *Últ sáb-dom ago*
Ritmo e cor e um grande carnaval caribenho em Portobello Road (**F** B2).

Great British Beer Festival
→ *6 dias ago www.gbbf.org.uk*
Cervejas artesanais britânicas no Olympia (**F** A4).

Setembro-outubro

Totally Thames Festival
→ *Set*
www.totallythames.org
Festa do Tâmisa: cortejo de barcos, concertos, shows, fogos de artifício...

London Open House
→ *3º fim de semana set*
Visita a prédios oficiais.

London Film Festival
→ *2 semanas out*
www.bfi.org.uk/lff
No BFI Southbank (**H** B2).

Frieze Art Fair
→ *4 dias out*
www.friezelondon.com
Feira de arte contemporânea no Regent's Park (**E** C1).

Novembro-dezembro

London Jazz Festival
→ *10 dias em nov www.efglondonjazzfestival.org.uk*
Concertos de jazz em 50 salas da cidade.

Lord Mayor's Show
→ *2º sáb de nov*
www.lordmayorsshow.london
Procissão solene para a eleição do "lord mayor" (prefeito da City of London).

Christmas Lights & Trees
→ *Meados nov-6 jan*
Luzes na Oxford St (**E** C4) e na Regent St (**E** D4). A Trafalgar Square (**A** C1) recebe a maior árvore de Natal da cidade.

Boxing Day
→ *26 dez*
Início das liquidações de inverno. Partidas de futebol e rúgbi são acompanhadas nos pubs.

Orçamento

Câmbio

£1 = €1,20 = R$3,70

Cartões de crédito

Aceitos em todos os locais. Taxas sobre saques e às vezes sobre pagamentos.

Hospedagem

Quarto duplo com banheiro, no centro: £90-100.

Restaurantes

Fish and chips: £7-12.

Arquitetura

Estilo gótico

Entre os sécs. XII e XV, após um período austero, maior uso de vitrais e esculturas – um Gótico "ornamentado". **Abadia de Westminster (A D3)**

Estilo Tudor

Entre 1485 e 1603, altas abóbadas em leque nas igrejas, tijolos vermelhos e arcos abatidos ou estuques à moda flamenga nas casas. **Lady Chapel, Ab. de Westminster (A D3)**

Estilo barroco

Nos sécs. XVII e XVIII, período marcado pelo Grande Incêndio de 1666, um Barroco contido, apesar das ricas decorações, no qual se destaca Sir Christopher Wren. **St Paul's Cathedral (C C3)**

Estilo rei George

Entre 1714 e 1830, construções regulares e simétricas de fachadas nobres com colunas inspiradas na Antiguidade. **Belgrave Square (G E1)**

A era vitoriana

Entre 1837 e 1901, um adeus à brancura georgiana com o "Gothic Revival" e o retorno ao tijolo vermelho. **Houses of Parliament (A D3)**. Na era industrial, surgem vastas estruturas em metal. **Leadenhall Market (C E3)**

Londres moderna

Reconstrução frenética da cidade após a Blitz: casas de concreto armado, edifícios financeiros nos anos 1980. O fim do séc. XX e o início do séc. XXI marcam o auge do estilo high-tech. **Swiss Re Tower (C E3)**, The Shard (**I** D2)

Informações práticas

PERFIL DA CIDADE

- 33 *boroughs* na Greater London, treze na Inner London
- 1.578km^2
- 8,2 milhões de habs.
- 28 milhões de visitantes por ano
- Rio: Tâmisa

ORIENTE-SE

- Os *boroughs* dividem-se em bairros indicados por códigos postais (EC = Centro-Leste,
- N = Norte, SW = Sudoeste etc.)
- Em geral, quanto mais alto o número do bairro, mais distante ele está do centro.

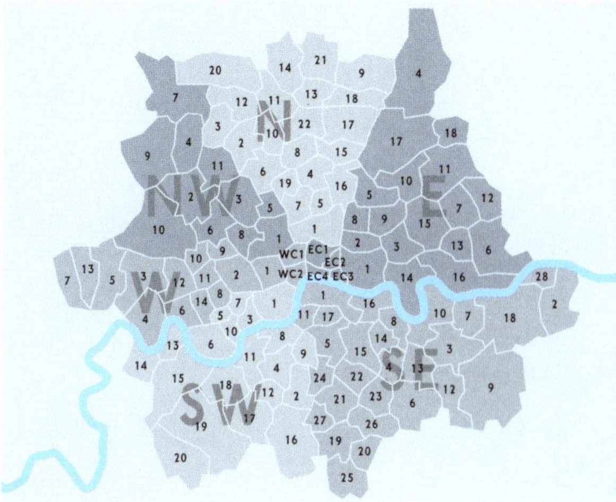

***BOROUGHS* DE LONDRES**

INTERNET

Escritórios de turismo
→ *www.visitlondon.com*
Em inglês
→ *www.visitbritain.com*
Em português

Londres on-line
→ *www.londontown.com*
→ *www.viewlondon.co.uk*

Wi-Fi
Em sua maioria, hotéis, restaurantes, cafés e pubs oferecem conexão gratuita.

INFORMAÇÕES TURÍSTICAS

City of London Visitor Centre (**C** C3)
→ *St Paul's Churchyard*
Tel 020 7332 1456 Seg-sáb 9h30-17h30, dom 10h-16h

Pontos de informação em estações de trem e metrô
→ *Victoria* (**A** A4), *Piccadilly Circus* (**B** B4), *Holborn* (**B** D3), *Liverpool St* (**C** E2), *Euston* (**D** C3) *e St Pancras* (**D** D3).

Greenwich (**J** E4)
→ *Pepys House, 2 Cutty Sark Gardens Diariam 10h-17h Fechado 24-26 dez*

Passaporte
Brasileiros precisam apenas de um passaporte válido para entrar no Reino Unido.
→ *Embaixada Britânica no Brasil: tel (61) 3329-2300 www.reinounido.org.br*

Embaixada brasileira em Londres
www.brazil.org.uk

TELEFONE

Ligações
Dentro da Inglaterra
020 + telefone de 8 dígitos
Do Brasil para Londres
00 + xx + 44 + 20 + telefone
De Londres para o Brasil
00 + 55 + código da cidade (sem o zero) + nº telefone

Números úteis
Emergências
→ *999 e 112*

CALENDÁRIO

Feriados
→ *1º jan (Ano-Novo), Sexta-Feira Santa, seg Páscoa, 1ª seg mai (Early May Bank Holiday), última seg mai (Spring Bank Holiday), última seg ago (Summer Bank Holiday), 25 dez, 26 dez (Boxing Day)*

Janeiro-fevereiro
London Parade
→ *1º jan*
Desfile festivo de Ano-Novo.
Ano-Novo Chinês
→ *Fim jan-meados fev*
Desfiles, dança do dragão, feira etc. Trafalgar Square (**A** C1), Leicester Square e Chinatown (Gerrard St, Lisle St) (**B** C4).
London International Mime Festival
→ *3 últimas semanas jan*
Festival de mímica na Royal Opera House (**B** D3), no Barbican Centre (**C** C2)...
Pancake Day Race
→ *1 ter fev ou mar*
No Carnaval, os atletas fazem saltar crepes ao correr!

Março
Saint Patrick
→ *17 mar*
Em homenagem à Irlanda.
Boat Race
→ *Fim mar-início abr*
www.theboatrace.org
Corrida de barcos mítica: Universidade de Oxford contra a de Cambridge.

Abril-maio
London Marathon
→ *1 dom abr*
Cerca de 30 mil corredores.
Chelsea Flower Show
→ *3ª ou 4ª semana mai*
www.rhs.org.uk/Shows-Events
No Royal Hospital (**G** E3).

Junho
Trooping the Colour
→ *Sáb em meados jun*
Aniversário da rainha.
Derby Day, Royal Ascot
→ *3 dias www.ascot.co.uk*
Corridas de cavalos.
Taste of London (**E**)
→ *4 dias www.taste festivals.com*

Atrações imperdíveis

Os dez lugares que você não pode deixar de visitar

✪ **National Gallery (A** C1)
Cerca de 2 mil quadros, uma visão única da arte europeia. Em seu palácio neoclássico (1838), a Galeria Nacional revela joias da pintura com uma museografia rigorosa: de ala em ala, o visitante navega entre os sécs. XIII e XIX, dos primitivos italianos aos impressionistas franceses, passando pelos mestres nórdicos ou espanhóis, e os sátiros de Hogarth (1697-1764). Nos arredores, a National Portrait Gallery expõe os britânicos desde Henrique VIII (1509-47).

✪ **Westminster (A** D3)
Imagem de Londres por excelência, o Parlamento, juntamente com o Big Ben e a abadia próxima, resume a história do Reino Unido. Reproduzido por Claude Monet em diversas horas do dia, foi construído sobre o sítio do palácio real do séc. XI. A abadia, que o escritor Paul Morand descreve como um "fantasma branco, erguido sobre a cidade enevoada", é o local do coroamento e da sepultura reais desde Guilherme, o Conquistador. Haendel, Byron, Dickens, Kipling e outros grandes nomes ali repousam.

✪ **Troca da Guarda no Palácio de Buckingham** (**A** A3)
Se esse ritual pode parecer banal para os ingleses, representa uma atração para os turistas! Através da grade do Palácio de Buckingham, a residência real, a multidão observa o movimento milimetricamente executado pelos guardas, que vestem a típica farda vermelha com gorro de pele de urso. Das 11h30 às 11h45 da manhã, acontece a troca dos regimentos ao som de uma fanfarra. Em agosto e março, a troca acontece somente a cada dois dias.

✪ **Tate Britain (A** D5) **e Tate Modern (I** A1)
A Tate Gallery, criada em 1897 pelo mecenas magnata de mesmo nome, finalmente encontra sua vocação: expor melhor o enorme acervo de pintura inglesa e de arte moderna e contemporânea. Inaugurada no ano 2000 no Bankside, a Tate Modern assume plenamente o papel de coadjuvante: enquanto isso, no Millbank, o prédio original, rebatizado de Tate Britain, passou a dedicar-se à escola nacional, contando com 300 telas de Turner (1775-1851). Um barco, Tate to Tate, liga os dois edifícios.

✪ **British Museum** (**B** C2)
Egito, Oriente Médio, Grécia e Roma antigas, arte primitiva... Seria necessária uma semana para visitar esse museu vertiginoso, cujos 6 milhões de objetos percorrem as civilizações de todos os continentes. Fundado em 1753, a partir das coleções do médico Hans Sloane (1660-1753), seu acervo enriqueceu de forma tão prodigiosa que engendrou duas outras instituições: o Natural History Museum (**G** B2), em 1881, e a British Library (**D** D3), em 1997.

✪ **City e St Paul's Cathedral (C** C3)
A famosa City é também o berço da capital: suas fronteiras são as da Londinium romana, fundada no séc. I. Embora conte hoje mais homens de negócios do que habitantes, muitas igrejas antigas ainda permanecem. Entre elas Saint Paul's, a catedral de Londres, a grande obra-prima de Christopher Wren (1632-1723), sede de grandes cerimônias. A sua volta, o séc. XXI vive acrescentando arranha-céus com nomes carinhosos ("Pepino", "Ralador de queijo"), criados por arquitetos como Norman Foster e Richard Rogers.

✪ **Hyde Park (E** B6) **e Kensington Gardens** (**F** E2)
Separados apenas pelo lago Serpentine, os dois parques vizinhos reúnem mais de 300ha de verde em pleno centro da cidade. Quem gosta de caminhada deve percorrê-los de ponta a ponta. O imenso Hyde Park faz a alegria de adultos e crianças desde que abriu ao público por ordem de Carlos I (1625-49). A oeste do lago ficam os jardins de Kensington, íntimos e ordenados, moldura de um palácio real assinado por Wren.

✪ **Notting Hill (F** B2)
Impossível ignorar esse bairro chique e boêmio, cosmopolita desde os anos 1950 devido à chegada de imigrantes caribenhos. Criado no séc. XIX sobre vales verdejantes, foi urbanizado como subúrbio opulento, oferecendo aos moradores o máximo de conforto e de verde: residências espaçosas, ordenadas em torno de um jardim comum. Todo ano, em agosto, acontece um carnaval digno do Rio de Janeiro.

✪ **Victoria & Albert Museum (G** C2)
O edifício, monumental, já anuncia o tamanho das coleções. Templo das artes decorativas, o "V & A" apresenta um panorama que percorre 2 mil anos: mobiliário, joalheria, têxteis, moda, cerâmica, mármores... Impossível ver tudo de uma vez. É melhor munir-se com um dos interessantes mapas do museu, antes de procurar o *Tigre de Tippoo* ou a grande cama de Ware (1600).

✪ **Tower of London / Tower Bridge (I** E1, F1)
Toda em labirintos e caminhos de ronda, a Torre, fortaleza real erguida no séc. XI, abrigou tantos horrores que despertou a curiosidade desde o reinado de Vitória (1837-1901). Permanece indissociável da Tower Bridge, emblemática ponte basculante (fim séc. XIX) com vertiginoso piso de vidro.

Informações práticas ⤴

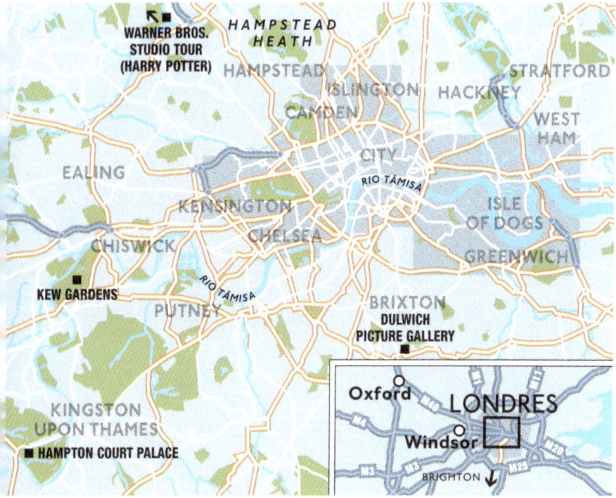

PASSEIOS NOS ARREDORES DE LONDRES

Comidas finas
Mercearias à moda antiga e opções na Harrods (**G** D1) e na Selfridges (**E** C4).

Mercados
Alimentação
Borough Market (**I** C2).

Mercados de pulgas
Old Spitalfields Market (**C** F2), Portobello Road Market (**F** B2) e Camden Markets (**D** B2-C2).

Petticoat Lane Market (C F3)
→ *Middlesex St Dom 10h-16h (maior), seg-sex 8h-14h30 (tamanho reduzido)*
Mercado de rua mais antigo de Londres, tem bugigangas e usados.

Brick Lane Market (J A1)
→ *Dom 8h-15h*
O concorrente do anterior.

Moda
Roupas usadas e lojas de luxo são tendência atual imposta pelos estilistas.

Especialidades dos bairros
Grandes lojas na Oxford e na Regent's Sts (**B**), streetwear no Soho (**B**), moda chique na área da Brompton e da King's Rds (**G**), gótica em Camden (**D**) e de vanguarda em Shoreditch (**C**), Dover St (**A**). Columbia Rd e Brick Lane (**J**).

Lojas de discos
Numerosas no Soho (**B**), Camden (**D**) e Notting Hill (**F**). Gêneros ecléticos, vinis e CDs com descontos.

LONDRES DIFERENTE

De ônibus
Linhas 15 (Trafalgar Square--Tower Bridge) e 11 (Victoria--Liverpool St). Principais atrações.

De barco
London River Service
→ *www.tfl.gov.uk*
Ônibus-fluvial de Londres.

Thames Clippers
→ *www.thamesclippers.com*
Entre a estação de metrô Putney (fora do mapa **G** A4) e Greenwich (**J** E4).

Jason's Trip
→ *www.jasons.co.uk*
Pelo Regent's Canal, de Little Venice (fora do mapa **F** E1) a Camden Town (**D** B2).

A pé
The Original London Walks
→ *Tel 020 7624 3978 www.walks.com*
Temáticas: Beatles, Jack, o Estripador, Harry Potter...

ESPORTES

Uma dúzia de equipes profissionais de futebol! Chelsea, Arsenal, Tottenham...

Wembley Stadium
→ *www.wembleystadium.com*
Jogos da seleção inglesa.

Twickenham Stadium
→ *Whitton Rd www.englandrugby.com/twickenham*
O templo do rúgbi.

Lord's (E A1)
→ *St John's Wood Rd www.lords.org*
Críquete.

Wimbledon Greyhound Stadium
→ *Plough Lane www.lovethedogs.co.uk*
Corridas de galgos.

FORA DA CIDADE

Kew Gardens
→ *Kew Rd Mº Kew Gardens Tel 020 8332 5655*
Fabuloso parque (séc. XIX), patrimônio mundial da Unesco. Jardim japonês, estufas, pavilhões, flores e árvores de muitas espécies.

Warner Bros. Studio Tour (Harry Potter)
→ *A 20min de trem da Euston Station* ***Visita guiada*** *Com hora marcada Diariam 9h-18h30 Duração 3h www.wbstudiotour.co.uk*
Para andar entre os cenários de Harry Potter!

Hampton Court Palace
→ *East Molesey, Surrey A 35min de trem da Waterloo Station Tel 0844 482 7777*
O castelo de Henrique VIII. Veja as cozinhas Tudor e o incrível labirinto de sebes.

Dulwich Picture Gallery
→ *Gallery Rd Dulwich Village A 15min de trem da Victoria Station (West Dulwich Station) Tel 020 8693 5254*
O mais antigo museu público da Inglaterra possui uma magnífica coleção de mestres europeus, de Poussin a Rembrandt.

Windsor Castle
→ *A 55min de trem da Waterloo Station (Windsor and Eton Riverside Station) Tel 020 7766 7304*
O castelo real mais antigo (1070) domina um vale do Tâmisa e exibe salas barrocas e uma fabulosa coleção de arte.

Brighton
→ *A 55min de trem da Victoria Station*
A estação balneária de Londres e seus antigos molhes vitorianos.

TATE MODERN

TROCA DA GUARDA

ÔNIBUS PANORÂMICO EM FRENTE AO BIG BEN

NOTTING HILL

KENSINGTON GARDENS

ST PAUL'S CATHEDRAL

Informações práticas

NATIONAL GALLERY

NATIONAL PORTRAIT GALLERY

TRAFALGAR SQUARE / NELSON'S COLUMN

A Trafalgar Square se abre para duas imponentes avenidas – The Mall e Whitehall –, ao longo das quais se erguem os símbolos do poder político e religioso: a residência real, o Parlamento, ministérios e igrejas. Nas ruas St James's e Jermyn, os homens se deleitam com a concentração de lojas de artigos masculinos. Depois dos Victoria Tower Gardens, ruas estreitas com fachadas do séc. XVIII cercam a Smith Square. Mais ao sul, os bairros residenciais, a maioria construída na época vitoriana, vão aos poucos perdendo o ar tranquilo nas proximidades da Victoria Station.

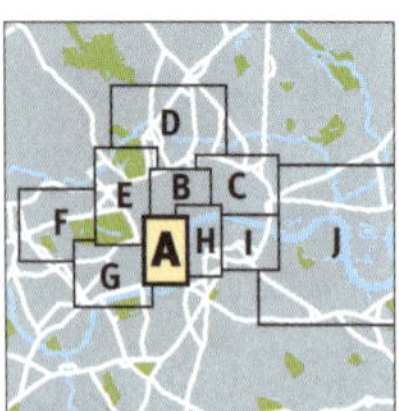

AL DUCA

GORDON'S WINE BAR

RESTAURANTES

Cellarium Cafe (**A** C3)
→ *20 Dean's Yard*
Tel 020 7222 0516
Seg-sex 8h-18h, sáb 9h-17h, dom 10h-16h
Atravesse o claustro da Abadia de Westminster e penetre num belo porão gótico (a antiga adega), onde são servidos bons cafés da manhã e saladas de preparo bem criativo. Prato £6-14.

Giraffe (**A** A5)
→ *120 Wilton Road*
Tel 020 7233 8303
Seg-sex 8h-23h, sáb-dom 9h-23h (22h30 dom)
Porções, sanduíches, hambúrgueres de carne ou falafel, espigas de milho grelhadas... Decoração aconchegante, com uma série de pôsteres nas paredes. Prato €9-12.

The National Dining Rooms (**A** C1)
→ *The National Gallery, Sainsbury Wing*
Tel 020 7747 2525 Diariam 10h-17h30 (20h30 sex)
Dentro da National Gallery, encontra-se uma gastronomia inglesa de boa condução, servida sob um afresco de estilo renascentista. Prato £12-18.

The Wolseley (**A** A1)
→ *160 Piccadilly*
Tel 020 7499 6996
Seg-sáb 12h-15h (15h30 sáb), 17h30-24h; dom 12h-15h30, 17h30-23h
Esse café glamouroso e seleto instalado em um suntuoso prédio de 1921, inspirado em Veneza e em Florença, costuma atrair homens de negócios. O cardápio mistura pratos tipicamente britânicos e franceses, como frutos do mar, ovos benedict, chucrute, coq au vin... Serviço impecável. Prato £14,50-30.

Matsuri (**A** B1)
→ *15 Bury St*
Tel 020 7839 1101
Seg-sáb 12h-14h30, 18h-22h30; dom 12h-15h, 18h-22h
A cozinha japonesa elevada ao nível de obra de arte. Sublimes sushis no térreo e mesas para preparar o teppan no subsolo, onde os chefs manipulam as facas com destreza. Menu £15 (almoço)-165.

Al Duca (**A** B1)
→ *4-5 Duke of York St*
Tel 020 7839 3090
Seg-sáb 12h (12h30 sáb)-23h
Linguine com mariscos, peixe-espada defumado com ervas, doces caseiros e sobremesas de frutas. Cozinha italiana fina e inovadora em

O RIO TÂMISA, A ST PAUL'S CATHEDRAL E A CITY VISTOS A PARTIR DA WATERLOO BRIDGE

OS PUBS

Às 23h...
Em 1915, instituiu-se essa hora obrigatória de encerramento, a fim de preservar o esforço de guerra. Hoje, a regra está relaxada, mas o sino ainda toca às 22h50 em alguns pubs chamando os clientes para uma última cerveja.

Gastropubs
Em anos recentes, alguns pubs apostaram na gastronomia inglesa, revisitando receitas típicas. Não perca, aos domingos, o Sunday roast – carne e legumes assados com Yorkshire pudding (um pãozinho especial).

Prato em um restaurante padrão: £11-20.

Atrações
Museus, exposições: grátis-£15; atrações, monumentos: £15-25.

Vida noturna
Cerveja: £3,50; drinque: £8-12; show em casa noturna: £6-12.

Londres econômica
Carteira Internacional de Estudante
→ *www.isic.fr*
London Pass
→ *£52-116/1-6 dias (£35-80 menos de 15 anos) ou £65-159 (£41-110) com transporte ilimitado*
Descontos e entrada gratuita em 56 locais.
Eurostar "2 for 1"
Com um bilhete Eurostar, compram-se duas entradas pelo preço de uma para diversas exposições.

Gorjeta
Nos táxis e quando o serviço não estiver incluído na conta, deixe 10-15%.

HORÁRIOS

Compras
Em geral, seg-sáb 9h-18h (22h grandes lojas), dom 11h30-18h

Museus
→ *Em geral, diariam 10h-18h Últimas admissões cerca de 1 hora antes do fechamento*

Saídas
Restaurantes
→ *Em geral, 12h-15h, 18h30-22h30 (último pedido)*
Pubs/Bares
→ *Diariam 11h-23h (22h dom)*
Casas noturnas
→ *Em geral, fecham às 3h durante a semana e às 6h no fim de semana*

RESTAURANTES

Come-se muito bem em Londres, mas a conta é alta!

Menus pré-teatro
Menu a preços módicos no início da noite (18h-20h).

Pubs e gastropubs
Restaurante ou bar? Às vezes a diferença é mínima, conforme o horário do dia. Pubs: pequenos pratos substanciosos e acessíveis (*pie'n'mash*). Gastropub: cozinha mais elaborada.

Especialidades
English breakfast: café da manhã inglês (bacon, linguiça, baked beans, legumes, ovos mexidos ou pochés e torrada); *Fish and chips*: peixe frio e batatas fritas servidos em um cone de papel; *Toad in the hole*: linguiças envolvidas com massa e assadas no forno; *Black pudding*: morcela; *Shepherd's pie*: tipo de escondidinho; *Pie and mash*: torta de carne com gravy (molho de carne) e purê de batata; *Pimm's*: coquetel à base de gim "temperado" e limonada, decorado com pepino, frutas e hortelã.

VIDA NOTURNA

Imensa gama de shows e noitadas com tradição roqueira. Soho (**B**), Notting Hill (**F**), Camden (**D**) e East End (**J**). Certos bares se transformam à noite em pista de dança ou sala de espetáculos. Ingresso pago em quase todos os lugares. Às vezes há controle rigoroso na entrada.

Programação
Time Out
→ *Ter grátis*
Estações de metrô e museus.
Evening Standard
→ *Seg-sex*

Ingressos para espetáculos
Ticket Master
→ *www.ticketmaster.co.uk*
Espetáculos, eventos esportivos...
TKTS (**B** C4)
→ *Leicester Square Seg-sáb 9h-19h, dom 11h-16h30*
Ingressos no dia com 25-50% de desconto.

COMPRAS

Liquidações de inverno a partir de 26 dez e, de verão, a partir do fim de jul.

HORSE GUARDS

PALÁCIO DE BUCKINGHAM

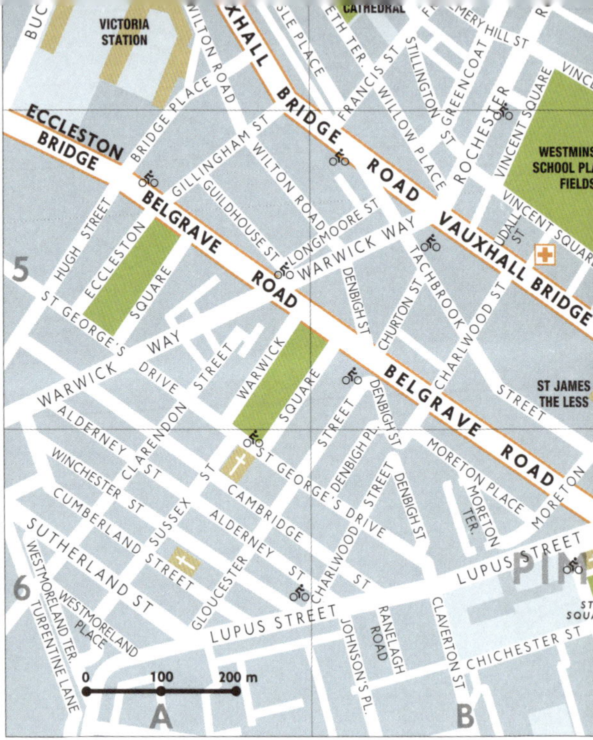

◀ Mapa G

★ **National Gallery** (**A** C1)
→ *Trafalgar Square*
Tel 020 7747 2885
Diariam 10h-18h (21h sex)
Uma das mais ricas coleções do mundo de mestres europeus (sécs. XIII-XIX). Entre os quadros mais famosos, o *Pentecostes*, de Giotto, *Júlio II*, de Rafael, *Senhora de pé no virginal*, de Vermeer, *Girassóis*, de Van Gogh...

★ **National Portrait Gallery** (**A** C1)
→ *St Martin's Place*
Tel 020 7306 0055 Diariam 10h-18h (21h qui-sex)
Uma extraordinária galeria de retratos em honra daqueles que fizeram a história do país, de Thomas More aos atuais Windsor, passando pelo literário Kit Cat Club. Veja um dos mais famosos retratos de Shakespeare.

★ **Trafalgar Square/ Nelson's Column** (**A** C1)
No centro da famosa esplanada concebida em 1829 por John Nash (1752-1835), quatro leões enquadram a imponente coluna (1842) dedicada ao almirante Nelson (1758-1805). Os baixos-relevos que ornam a base foram feitos com o bronze dos canhões espoliados em suas vitórias contra a frota francesa. Em 31 de dezembro, a multidão se junta sob o imenso pinheiro (doado pela Noruega) para esperar a 12ª badalada da meia-noite. Nos outros dias, artistas de rua entretêm turistas e pedestres no pé da escadaria que leva à National Gallery.

★ **Horse Guards** (**A** D2)
→ *Whitehall* ***Troca da guarda*** *Diariam 11h (10h dom)*
Quatro imperturbáveis sentinelas, vestindo capacete branco com penacho vermelho, montam guarda a cavalo em frente ao quartel da Guarda Real, entrada histórica dos palácios de St James e Buckingham. Há sempre uma multidão à espera, especialmente de manhã. A esplanada ao lado do St James's Park é o melhor lugar para apreciar o evento.

★ **Palácio de Buckingham** (**A** A3)
→ *Tel 020 7766 7300*
Agosto: diariam 9h30-19h30 (bilheteria 17h15); set: diariar 9h30-18h30 (bilheteria 16h1 ***Troca da guarda*** *Diariam 11h30 (ago-mar: a cada 2 dias)* ***Estábulos reais*** *Fev-ma nov: seg-sáb 10h-16h; abr-out: diariam 10h-17h*
De fachada austera, é a residência real desde a époc em que a rainha Vitória ocupou o palácio, em 183 Embora os aposentos só abram para o público no v rão, a troca da guarda atra

TIGER TIGER

FORTNUM & MASON

JERMYN STREET

uma sala aconchegante, em tons de areia e tijolo. Menus £16,50 (almoço)-33,50.

CAFÉ, CENTRO DE ARTES

Inn The Park (**A** C2)
→ *St James's Park*
Tel 020 7451 9999
Out-mar: diariam 8h (9h sáb-dom)-17h; abr-set: diariam 8h (9h sáb-dom)-23h
Uma grande cabana de madeira para aproveitar em qualquer estação o charme do bucólico St James's Park e a vista para o lago, tomando uma xícara de chá acompanhada de um lanche. Conta com um espaçoso terraço coberto.

Institute of Contemporary Arts/ ICA (**A** C1)
→ *The Mall*
Tel 020 7930 3647
***Bar** ter-dom 11h-23h* ***Galerias** Ter-sáb 11h-18h (21h qui)* ***Cinema e livraria** Ter-dom 11h-21h*
Ao mesmo tempo galeria e cinema, desde 1948 esse lugar é ponto de encontro da vanguarda britânica. Filmes underground ou clássicos desconhecidos, espetáculos e eventos.

BARES, CASAS NOTURNAS

Gordon's Wine Bar (**A** D1)
→ *47 Villiers St*
Tel 020 7930 1408
Seg-sáb 10h-23h, dom 12h-22h
Nesse bar de vinhos centenário, escondido no fundo de um porão, o barulho das conversas substitui a música, e as garrafas servem de decoração. Cem safras para provar, em uma gruta iluminada por velas ou no terraço, em frente ao Embankment Park.

Tiles (**A** A4)
→ *36 Buckingham Palace Rd Tel 020 7834 7761*
Seg-sex 12h-14h30, 17h30-22h
Próximo à Victoria Station, um bar de vinhos caloroso cujos sofás macios, no subsolo, se oferecem aos moradores do bairro.

Cinnamon Club (**A** C4)
→ *30-32 Great Smith St*
Tel 020 7222 2555
Seg-sáb 11h (12h sáb)-23h45 ***Cinnamon Bar** Seg-sáb 18h-23h45* ***Restaurante** Seg-sex 12h-14h30, 18h-22h45*
Atrás da porta da antiga biblioteca de Westminster há dois bares de um restaurante indiano de renome para tomar lassis e bebidas temperadas. Estantes de livros no térreo e projeções de filmes antigos no subsolo.

Tiger Tiger (**A** C1)
→ *29 Haymarket*
Tel 020 7930 1885
Diariam 12h-3h (24h dom)
Três níveis, um labirinto de escadas e corredores que ligam um restaurante, três bares e duas pistas de dança. Calmo de dia, depois se agita no ritmo das noites londrinas.

Heaven (**A** D1)
→ *The Arches, Villiers St*
Tel 020 7930 2020
***Casa noturna** Seg, qui-sex 23h-4h (5h30 seg); sáb 22h-5h* ***Shows** a partir das 19h*
Sob a ferrovia em Charing Cross, drag queens, garçons sem camiseta e gogo dancers circulam por um um dos lugares prediletos da noite gay. Opção para os fãs de música tecno.

COMPRAS

Fortnum & Mason (**A** B1)
→ *181 Piccadilly W1*
Tel 020 7734 8040
Seg- sáb 10h-20h, dom 12h-18h
Belamente expostos sob os lustres, chutneys, chás, shortbreads, geleias e outras comidas refinadas confirmam a excelência dessa casa tricentenária. Tapetes vermelhos, lustres, uma casa de chá e restaurantes.

Waterstone's (**A** B1)
→ *203-206 Piccadilly*
Tel 084 3290 8549
Seg-sáb 9h-22h, dom 11h30-18h
O lugar mais parece uma biblioteca. Trata-se, no entanto, da maior livraria da Europa, com vários cafés e bares. Vá ao View Bar no quinto andar.

Jermyn Street (**A** B1)
Artigos masculinos.

Davidoff of London
Esquina da St James's St
→ *Tel 020 7930 3079*
Charutos.

Turnbull & Asser
→ *N°s 71-72 Jermyn St*
Tel 020 7808 3000
Prêt-à-porter sofisticado.

Floris
→ *Nº 89 Jermyn St*
Tel 020 7930 2885
Perfumista há 285 anos.

Lock & Co (**A** B2)
→ *6 St James's St*
Tel 020 7930 8874
Fundada em 1676, a chapelaria mais admirada da cidade!

Lobb (**A** B2)
→ *9 St James's St*
Tel 020 7930 3664
A loja de um fabricante de calçados muito apreciado pela família real.

QUEEN'S GALLERY / ROYAL MEWS

CHURCHILL WAR ROOMS

HOUSES OF PARLIAMENT / BIG BEN

► Mapa B

▼ Mapa H

ABADIA DE WESTMINSTER

TATE BRITAIN

ıultidões o ano todo. Veja ɜmbém os estábulos reais Ɂoyal Mews), com sua ·ela coleção de carruagens ꞓerimoniais.

· **Queen's Gallery** (**A** A3)
➜ *Buckingham Gate Tel 020 766 7301 Meados nov-mea-ꞌos out: diariam 10h-17h30*
ꞌs coleções da Coroa são ꞌpresentadas em esquema e rodízio na antiga capela ꞓal, construída após 1945 ꞌo estilo neoclássico de ꞌhn Nash. Quadros, ovos ꞌabergé, mobiliário francês.

· **Churchill War Rooms** (**A** C3)
➜ *Clive Steps, King Charles St ꞌel 020 7930 6961 ꞌiariam 9h30-18h*
Durante a Segunda Guerra, essas grutas abrigavam o QG de Churchill. Reconstituição da vida no abrigo, seguida de uma exposição high-tech na qual se acompanha a guerra de perto.

★ **Houses of Parliament/Big Ben** (**A** D3)
➜ *St Margaret St*
Tel 020 7219 4114
***Visita guiada** Set-meados jul: sáb 9h15-16h15; meados jul-ago: seg-sáb 9h15-16h15*
A torre do relógio abriga o sino mais famoso do mundo: o Big Ben. Pesa 13 toneladas e soa nas horas inteiras e nos quartos de hora. A arquitetura neogótica do Parlamento, coração da vida política inglesa, é obra de Charles Barry e Augustus Pugin, depois que um incêndio destruiu o edifício anterior, em 1834. Informe-se sobre horários para assistir aos debates entre os membros do Parlamento.

★ **Abadia de Westminster** (**A** D3)
➜ *20 Dean's Yard Tel 020 7222 5152 Seg-sáb 9h30-16h30 (19h qua; 14h30 sáb)*
Desde Guilherme, o Conquistador (1066), a maioria dos reis e rainhas foi coroada nessa que é considerada a mais bela construção religiosa da Inglaterra. A cadeira de coroação está em uma das capelas. Essa abadia também é um panteão: grandes personalidades foram enterradas no local. Uma das capelas guarda os restos mortais de Santo Eduardo, o Confessor.

★ **Tate Britain** (**A** D5)
➜ *Millbank*
Tel 020 7887 8888
Diariam 10h-18h
Logo após a inauguração da Tate Modern, no ano 2000, a Tate Gallery foi rebatizada de Tate Britain. Hoje, dedica-se apenas à arte inglesa: Hogarth, Gainsborough, Reynolds, os pré-rafaelitas... e a suntuosa coleção de Turner (óleos, aquarelas).

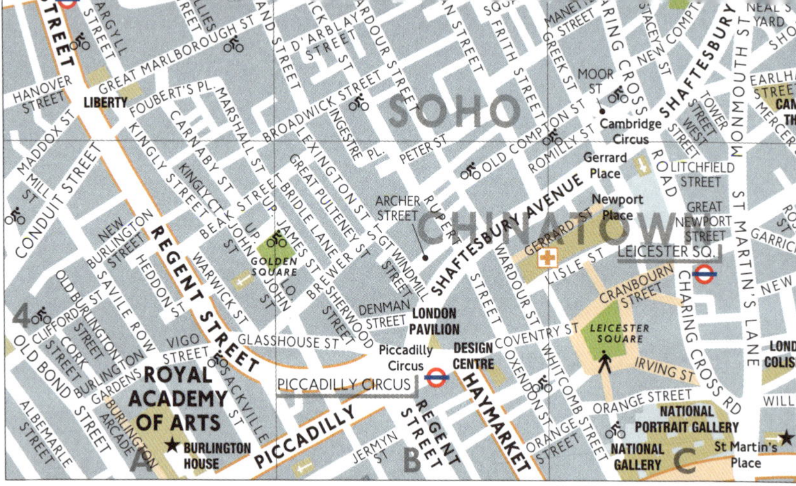

★ **British Museum** (**B** C2)
→ *Great Russell St*
Tel 020 7323 8299 Diariam 10h-17h30 (20h30 sex)
Fundado em 1753, o fabuloso museu de arqueologia e etnologia, com mais de 6 milhões de objetos, conserva a Pedra de Roseta e o friso do Partenon, motivo de controvérsias com o governo grego. Surpreendente é o pátio interno com colossal teto de metal e vidro (2000), projetado por Norman Foster.

★ **Sir John Soane's Museum** (**B** E3)
→ *13 Lincoln's Inn Fields*
Tel 020 7405 2107 Ter-sáb 10h-17h Visita à luz de velas na 1ª ter do mês, 18h-21h (cheque bem antes)
Arquiteto de renome e amante das artes, John Soane transformou sua casa em um extraordinário museu durante a vida. Espelhos e painéis em locais estratégicos revelam um acervo de antiguidades, livros e quadros (Hogarth, Watteau).

★ **Dr Johnson's House** (**B** F3)
→ *17 Gough Square*
Tel 020 7353 3745 Mai-set: seg-sáb 11h-17h30; out-abr: seg-sáb 11h-17h
Atrás da fachada de tijolos vermelhos dessa mansão (fim do séc. XVII) poupada pelos bombardeios, o homem de letras Samuel Johnson (1709-1784) passou nove anos compilando seu ilustre dicionário da língua inglesa (1755). Manuscritos, obras de arte, objetos, móveis de época...

★ **Temple** (**B** F4)
→ *Fleet St e Victoria Embankment (seg-sex), Tudor St (semana toda)*
Esse bairro, propriedade dos Templários de 1185 a 1312, é um pequeno enclave na cidade. No séc. XVII, duas das quatro escolas de Direito se instalaram nessa área. De cada lado da Middle Temple Lane há um verdadeiro labirinto de ruelas, pequenos pátios e jardins particulares com estátuas. O local abriga o célebre Middle Temple Hall, onde se realizou a estreia da peça *Noite de reis*, de Shakespeare, em 1600. No Inner Temple, há uma pequena igreja circular do séc. XII.

★ **Somerset House** (**B** E4)
→ *Strand Tel 020 7845 4600 Diariam 10h-18h*
O imenso pátio de entrada recebe jatos de água no verão e rinque de patinação no inverno. O esplêndido palácio neoclássico de William Chambers (1786) abriga dois espaços de exposições.

Courtauld Gallery
Os tesouros amealhados

◄ Mapa A

BRITISH MUSEUM

SIR JOHN SOANE'S MUSEUM

B

Covent Garden / Soho / Bloomsbury

Não há um momento de calma na movimentada região entre Piccadilly Circus e Covent Garden. Durante o dia, a atmosfera corre por conta das lojas chiques da Regent Street, do alvoroço dos consumidores ao longo da Oxford Street e dos cafés de Covent Garden. À noite, os teatros são invadidos pelos entusiastas de musicais, peças e óperas. No cosmopolita Soho, restaurantes, bares gays e sex shops atraem multidões. Mais ao norte, Bloomsbury, de rico passado literário, simboliza o conhecimento por meio do British Museum e da Universidade de Londres. Já Holborn, com seus tribunais, representa a Justiça.

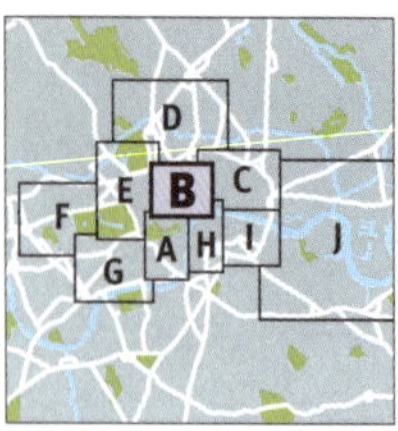

SPUNTINO

MASALA ZONE

RESTAURANTES

The Stockpot (**B** C3)
→ *18 Old Compton St Tel 020 7287 1066 Seg-sáb 9h-24h, dom 12h-23h30*
Comida familiar farta com preço em conta, no coração do trepidante bairro do Soho: omeletes, massas e pratos do dia. Prato £4-9.

Chinatown (**B** B4-C4)
Há muitas opções de restaurante em Chinatown.

Harbour City (**B** C4)
→ *46 Gerrard St Tel 020 7439 7859 Seg-sáb 12h-23h30 (24h sex-sáb), dom 11h-22h30*

New World (**B** C4)
→ *1 Gerrard Place Tel 020 7734 0677 Diariam 11h-24h*

Spuntino (**B** B4)
→ *61 Rupert St Não há telefone Diariam 12h-24h (1h qui-sáb, 23h dom)*
Se a fachada desse restaurante revestido de azulejos rachados não chama a atenção, a fila de espera, por sua vez, é inevitável! O único balcão oferece saladas e mini-hambúrgueres. Miniprato £6-12.

Masala Zone (**B** A3)
→ *9 Marshall St Tel 020 7287 9966 Seg-sáb 12h-23h, dom 12h30-22h30*
Cantina chique decorada à feição de Bollywood, na qual se degustam os excelentes thalis (seleção de diferentes pratos). Prato £6-15.

Andrew Edmunds (**B** B4)
→ *46 Lexington St Tel 020 7437 5708 Seg-sáb 12h30-15h30, 17h30-22h45; dom 13h-16h, 18h-22h30*
Em uma elegante casa do séc. XVIII, um pequeno salão, um balcão e algumas mesas. O cardápio varia conforme a disponibilidade de ingredientes no mercado e pode incluir codorna assada, ossobuco e vieiras. Prato £11-22.

Yauatcha (**B** B3)
→ *15-17 Broadwick St Tel 020 7494 8888 Diariam 12h-23h30 (22h15 dom)*
Dim sum, especialidades de toda a Ásia e doces em uma magnífica sala com teto estrelado. De um lado, inúmeros cozinheiros trabalham atrás de um vidro fumê; de outro, peixes tropicais nadam no aquário ao longo do bar. Prato £13-27.

SORVETERIA, CASAS DE CHÁ

Gelupo (**B** B4)
→ *7 Archer St Tel 020 7287 5555 Diariam 12h-23h (24h sex-sáb, 22h dom)*

AMB & FLAG

NEAL STREET

PHONICA RECORDS

Uma gelateria famosa, que muda o cardápio todos os meses. Não deixe de experimentar os sorvetes de ricota, cereja, chocolate meio amargo com pimenta, abacate, baunilha-açafrão...

Princi (**B** B3)
→ *135 Wardour St Tel 020 7478 8888 Seg-sáb 7h-24h, dom 8h30-22h*
Em grandes cestas, pães que acabam de sair do forno, e, sob o balcão transparente, pizzas, focaccias ou doces: essa ótima "padaria" milanesa é ideal para fazer uma pausa e comer algo tomando café.

Maison Bertaux (**B** C3)
→ *28 Greek St Tel 020 7437 6007 Seg-sáb 8h30-23h, dom 9h30-20h*
Essa é a mais antiga confeitaria de Londres, aberta em 1871. Serve bolos com cobertura, tortas, chás finos, iced coffees, sucos de frutas...

BAR, PUB, SHOWS, CASA NOTURNA

Curzon Soho (**B** C4)
→ *99 Shaftesbury Avenue Diariam 12h-22h*
No subsolo do cinema Curzon, esse amplo bar com um espaço lounge é ideal para esperar o começo da sessão. Não há motivo para pressa: quem não acabar a bebida antes do início do filme pode levar o copo para a sala.

Lamb & Flag (**B** C4)
→ *33 Rose St Tel 020 7497 9504 Seg-sáb 11h-23h, dom 12h-22h30*
Pub histórico de Covent Garden. É normal tomar cerveja nas mesas da calçada. Bons uísques.

The Borderline (**B** C3)
→ *Orange Yard, Manette St Tel 020 7734 5547 Qua-sáb 19h-23h (4h sáb) theborderlinelondon.com*
Um dos melhores locais de pop-rock em Londres: show no pequeno palco e rock na pista de dança.

COMPRAS

James Smith & Sons (**B** C3)
→ *53 New Oxford Street Tel 020 7836 4731 Seg-sáb 10h-17h30(17h15 sáb)*
Atrás de uma magnífica fachada vitoriana, venda e conserto de bengalas e guarda-chuvas desde 1830.

Neal Street (**B** C3-D3)
Calçadão especializado em lojas de sapatos.

Liberty (**B** A3)
→ *Great Marlborough St Tel 020 7734 1234 Seg-sáb 10h-20h, dom 12h-18h*
Uma grande loja, decorada com lambris inspirados no estilo Tudor, dona de notável fama graças aos seus magníficos tecidos. Vende uma moda refinada desde 1875.

Burlington Arcade (**B** A4)
→ *51 Piccadilly Seg-sáb 9h-20h, dom 11h-18h*
Os Beadles, guardas uniformizados, zelam desde 1819 por essa suntuosa galeria comercial, com elegantes lojas de joias, roupas e papelarias.

Hamleys (**B** A4)
→ *188-196 Regent St Tel 0371 704 1977 Seg-sáb 10h (9h30 sáb)-21h, dom 12h-18h*
Vale a pena conhecer essa loja, mesmo que só para apreciar os jogos e brinquedos espalhados pelos sete andares.

Carnaby Street/ Kingly Court (**B** A3-A4)
Na área que simbolizou os *swinging sixties* fala-se apenas de moda. Hoje, além das famosas lojas independentes, as grandes marcas também estão presentes no local. Explore o Kingly Court, um lindo pátio com butiques que parecem suspensas nos corredores.

The Vintage House (**B** B4)
→ *42, Old Compton St Tel 020 7437 2592 Seg-sáb 9h (10h sáb)-23h, dom 12h-22h*
Dos clássicos aos raros, 1.500 rótulos de uísque, 250 de rum e 100 de tequilas, além de vinhos de todo o mundo e ampla seleção de charutos cubanos.

Lojas de discos no Soho

Ray's Jazz Shop (**B** C3)
→ *Foyle's, 107-109 Charing Cross Rd Tel 020 7437 5660 Seg-sáb 9h30-21h, dom 11h30-18h*
No terceiro andar da livraria Foyle's, a mais antenada loja de discos de jazz.

Reckless Records (**B** B3)
→ *30 Berwick St Tel 020 7437 4271 Diariam 10h-19h*
CDs e LPs: usados e reedições.

Sister Ray (**B** B3)
→ *75 Berwick St Tel 020 7734 3297 Seg-sáb 10h-20h, dom 12h-18h*
Essa célebre vitrine aparece na capa do álbum *(What's the Story) Morning Glory?*, da banda inglesa Oasis. CDs e vinis novos e de segunda mão.

Phonica Records (**B** B3)
→ *51 Poland St Tel 020 7025 6070 Diariam 11h30-19h30 (20h qui-sáb)*
Selo eletro independente. A mais antenada loja de discos de jazz e seu belo café.

R JOHNSON'S HOUSE

TEMPLE

SOMERSET HOUSE

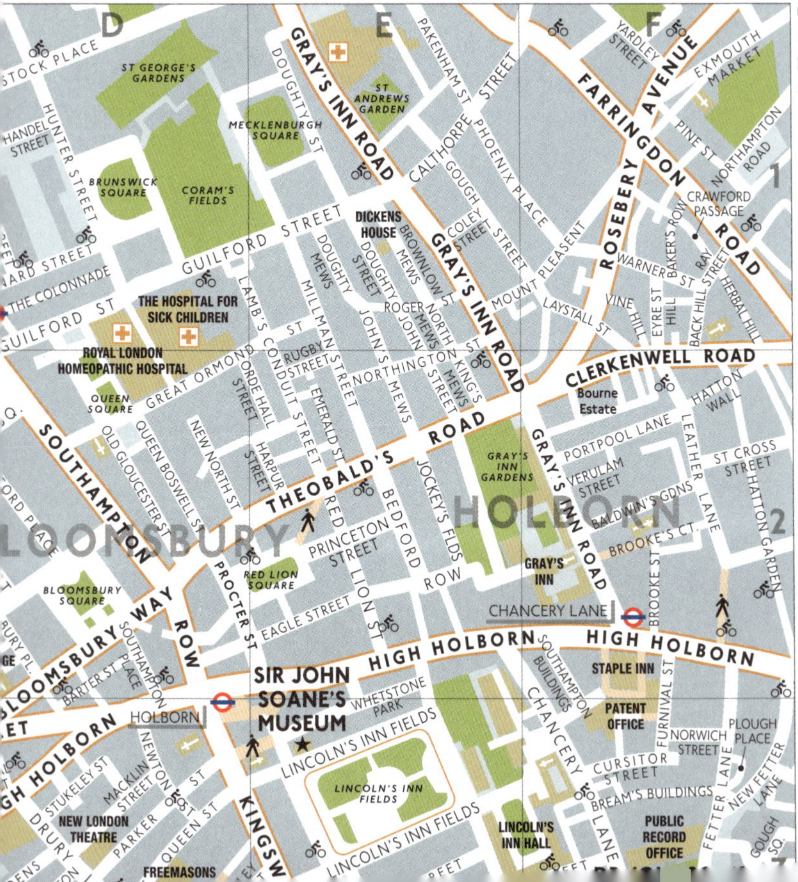

Mapa D
Mapa C

MONUMENT

ST STEPHEN WALBROOK

LEADENHALL MARKET

A City parece uma cidade-fantasma nos fins de semana, mas de segunda a sexta a atividade é febril. Relíquias do passado, poupadas do Grande Incêndio de 1666 e dos ataques aéreos da Segunda Guerra, oferecem um vislumbre do que foi o centro histórico. No labirinto de suas ruas, construções do séc. XXI convivem com veneráveis igrejas e prédios de escritórios dos anos 1970, enquanto comerciantes e executivos se encontram nos balcões de antigos pubs. A nordeste, jovens artistas e criadores transformaram Shoreditch em um bairro boêmio, enquanto a noroeste, em Clerkenwell, o tom é dado pelos designers.

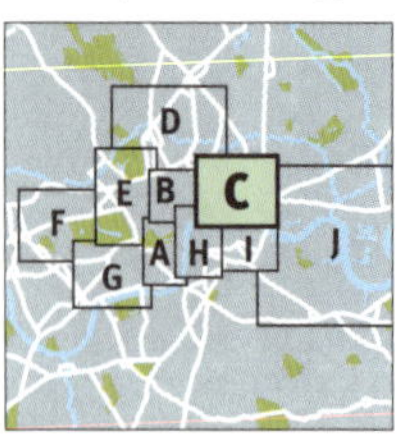

PIZZA EAST

ST JOHN BREAD &WINE

RESTAURANTES

Viet Grill (**C** E1)
→ *58 Kingsland Rd*
Tel 020 7739 6686
Diariam 12h-23h (23h30 sex-sáb, 22h30 dom)
Com decoração exótica, serve nems (leves rolinhos vietnamitas), a tradicional phó (sopa de macarrão de arroz cozido em um caldo de carne) e outras delícias perfumadas com ervas, como nas ruas de Hanói... Prato £7-11.

Busaba Eathai (**C** E1)
→ *319 Old St Tel 020 7729 0808 Diariam 12h-23h (23h30 sex-sáb, 22h dom)*
De decoração acolhedora, com predominância de madeira, esse restaurante tailandês contemporâneo tem sabores diversos: pad thai, curry, sopas ou pratos com noodles, acompanhados de chá de capim-cidreira. Prato £7-12,50.

Pizza East (**C** E2)
→ *56 Shoreditch High St*
Tel 020 7729 1888 Seg-sex 12h-24h (1h qui, 2h sex), sáb-dom 10h-2h
Concreto bruto e canalizações aparentes em uma sala moderna, com ar industrial. Antepastos e pizzas para saborear em torno de balcões de inox ou em longas mesas compartilhadas. Prato £7-17.

The Peasant (**C** B1)
→ *240 St John St*
Tel 020 7336 7726
Restaurante *Ter-sáb 18h-22h30* ***Pub*** *Diariam 12h-23h (22h30 dom)*
Um gastropub respeitado. No bar em forma de ferradura, provam-se pratos simples, mas caprichados (saladas, hambúrgueres, risoto...), e, no restaurante do primeiro andar, comidas mais elaboradas, como filé de hadoque, pernil com gratinado de batatas e doce de maçã e canela. Prato £10,50 (pub)-18.

Tramshed (**C** E1)
→ *32 Rivington St*
Tel 020 7749 0478
Seg-sex 11h30-23h (0h30 qua-sex), sáb-dom 10h30-0h30 (21h30 dom)
Uma obra de Damien Hirst, estrela da arte contemporânea, destaca-se no centro desse antigo galpão de bondes: ultramoderno! Mark Hix assina um cardápio de carnes e aves: frango marinado à la plancha com pimenta pili-pili, meio frango com batatas fritas, salada de rosbife com raiz-forte, filé à chateaubriand... Prato £11,50-45.

St. John Bread & Wine (**C** F2)
→ *94-96 Commercial St*
Tel 020 7251 0848

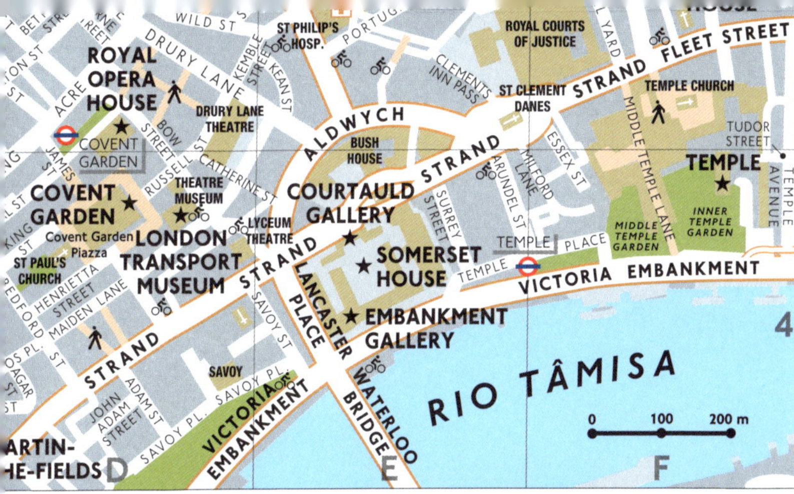

◀ Mapa H

ROYAL OPERA HOUSE

ROYAL ACADEMY OF ARTS

elo industrial Samuel Courtauld (1876-1947) e enriquecidos por outros. Reúne obras impressionistas e pós-impressionistas: Pissarro, Manet, Cézanne, Monet, Renoir, Gauguin, Van Gogh e Modigliani, entre outros. Além disso, o acervo inclui uma Trindade, de Botticelli, 32 obras de Rubens e guaches de Rouault.

mbankment Gallery
Qui noite para algumas exposições
te contemporânea: design, arquitetura, moda fotografia.

★ **London Transport Museum** (**B** D4)
Covent Garden Piazza Tel 020 7379 6344 Diariam 10h (11h sex)-18h
No antigo mercado de flores de Covent Garden (1871), o mais lúdico dos museus permite ao visitante entrar em vários veículos antigos para conhecer a história dos transportes coletivos londrinos.

★ **Covent Garden** (**B** D4)
A horta do convento que abastecia a Abadia de Westminster e o mercado de frutas e verduras desapareceram, mas a praça projetada por Inigo Jones (1631) continua popular. Os arcos da galeria (1832) e a estrutura de ferro e vidro do mercado, bem como a área ao redor, abrigam lojas, barracas de artesanato, cafés e restaurantes.

★ **Royal Opera House** (**B** D3)
→ *Tel 020 7304 4000* ***Visita guiada*** *Com hora marcada Seg-sáb 10h30, 12h30, 14h30 Duração 1h15 Desaconselhável aos menores de 8 anos*
Fundado em 1728, esse é o mais prestigiado teatro de ópera da cidade, situado em belo edifício neoclássico em Covent Garden. Sede da Royal Opera e do Royal Ballet. Vá aos camarins.

★ **St Martin-in-the-Fields** (**B** C4)
→ *8 St Martin's Place Tel 020 7766 1100 Seg-sex 8h30-13h, 14h-18h (17h qua); sáb 9h30-18h; dom 15h30-17h Concertos seg, ter, sex 13h*
Igreja em forma de templo clássico (James Gibbs, 1726), muito frequentada pelos concertos gratuitos no meio do dia e à luz de velas à noite.

★ **Royal Academy of Arts** (**B** A4)
→ *Burlington Arcade W1 Tel 020 7300 8000 Diariam 10h-18h (22h sex)* ***Visita guiada*** *Ter 13h, qua-sex 13h-15h, sáb 11h30 Duração 1h*
Desde 2003, abriga exposições de arte contemporânea o ano todo. Conheça as John Madejski Fine Rooms, com obras de Reynolds, Gainsborough e Constable.

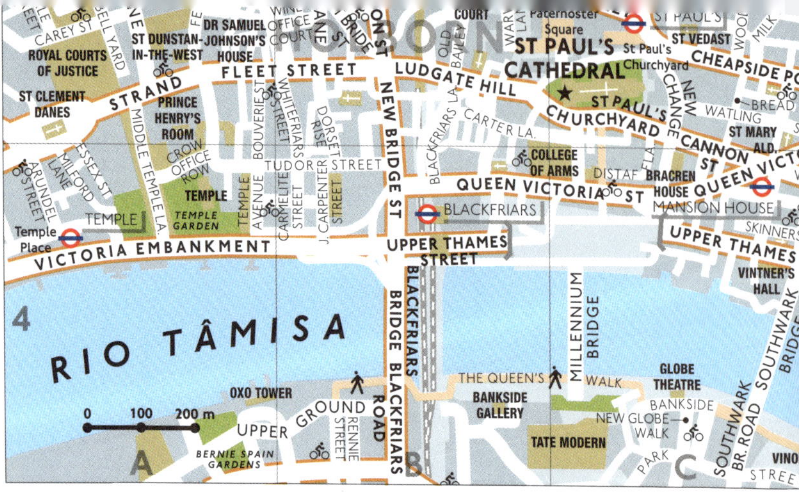

◀ Mapa H

GUILDHALL

ST PAUL'S CATHEDRAL

MUSEUM OF LONDON

★ **Monument** (**C** D4)
➔ *Monument St Tel 020 7626 2717 Out-mar: diariam 9h30-17h30 (18h abr-set)*
Erguida em memória do Grande Incêndio, essa grandiosa coluna de 62m oculta uma vertiginosa escada de 311 degraus, que levam a uma das mais belas vistas da cidade!

★ **St Stephen Walbrook** (**C** D4)
➔ *39 Walbrook Tel 020 7626 9000 Seg-sex 10h-16h*
A igreja, concluída em 1680, é uma joia do Barroco inglês: sustentada por doze colunas, sua cúpula tem uma claraboia que lança luz sobre o altar.

★ **Leadenhall Market** (**C** E3)
➔ *Gracechurch St*
Mercado *Seg-sex 10h-18h*
Sob as seis torres do Lloyd's Building, complexo de alumínio projetado por Richard Rogers (1986), se estende o Leadenhall Market, luxuoso mercado vitoriano com arcadas metálicas creme e vermelha, e uma cúpula de vidro sobre suas vias. Lojas, restaurantes, mercado de flores, joias e objetos de arte.

★ **Swiss Re Tower** (**C** E3)
➔ *30 Saint Mary Axe*
No eixo de várias ruas, uma obra impressionante de Norman Foster (2004) leva o nome da empresa Swiss Re, que a encomendou: a torre de 41 andares e 180m de altura é revestida de losangos de vidro azuis e pretos. Sua silhueta em forma de granada fez os londrinos a apelidarem de "Gherkin (pepino) da 30 Saint Mary Axe".

★ **Bank of England Museum** (**C** D3)
➔ *Bartholomew Lane*
Tel 020 7601 5545
Seg-sex 10h-17h
Conheça a história e o funcionamento da "Velha Dama da Threadneedle Street". Fundado em 1694, o Banco da Inglaterra guarda o ouro da nação. Há cédulas de dinheiro reais e falsas, cofres, lingotes, telas de operadores etc.

★ **Guildhall** (**C** D3)
➔ *Gresham St*
Tel 020 7332 1313 Seg-sáb 10h-17h, dom 12h-16h (fechado durante eventos)
No centro do poder municipal da City, sua notável fachada data do séc. XVIII, uma fusão de influências góticas, gregas e indianas. Passando sob uma abóbada em treliça, entra-se no grande salão de pedra (46m x 15m), lugar das cerimônias oficiais. As paredes estão decoradas com os brasões de todas as

'HE BLACKFRIAR

CARGO

A. GOLD

Seg 12h-15h, 18h-21h; ter-dom 12h-15h (16h sáb-dom), 18h-23h ***Café da manhã*** *Diariam 9h-11h*
A padaria do chef Fergus Henderson, famoso por seus cafés da manhã, também propõe em seu espaço despojado uma culinária tradicional e muito saborosa. Pratos diferentes a cada dia. O endereço da St. John St, 26, também é bastante procurado (**C** B2). Prato em torno de £15.

CAFÉS, PUBS, CENTRO DE ARTES

Look Mum No Hands (**C** C2)
→ *49 Old St Tel 020 7253 1025 Diariam 7h30 (8h30 sáb, 9h dom)-22h*
Um café diferente, já que oferece serviços de conserto de bicicletas, enquanto o cliente devora um bolo com cappuccino...

The Blackfriar (**C** B4)
→ *174 Queen Victoria St Tel 020 7236 5474 Seg-sáb 10h-23h, dom 12h-22h30*
Mosaicos, mármore policromado e monges esculpidos compõem o ambiente arts & crafts desse famoso pub.

Ye Old Mitre (**C** B3)
→ *1 Ely Court pelo 8 Hatton Garden Tel 020 7405 4751 Seg-sex 11h-23h*
A dois passos da City, esse pub de 1546 fica em uma passagem. A agito começa no fim da tarde.

Jerusalem Tavern (**C** B2)
→ *55 Britton St Tel 020 7490 4281 Seg-sex 11h-23h*
Não faltam charme e estilo nesse pub. Algumas cervejas de sabor surpreendente, inclusive de mel, mas também a red ale, de cor rubi, e a St Peter... Qualidade garantida.

Barbican Centre (**C** C2)
→ *Silk St Tel 020 7638 8891 Diariam 9h (12h dom)-23h www.barbican.org.uk*
Sede da Orquestra Sinfônica de Londres, um centro de artes pluridisciplinar: música, cinema, teatro, dança, artes gráficas...

BARES, SHOWS, CASAS NOTURNAS

DreamBags JaguarShoes (**C** E1)
→ *32-36 Kingsland Rd Tel 020 7729 5830 Diariam 12h-1h*
Incentivar e expor a criatividade são as prioridades dos fundadores desse alegre bar-galeria enfeitado com desenhos de ilustradores.

Cargo (**C** E1)
→ *83 Rivington St Tel 020 7739 3440 Diariam 12h-1h (3h sex-sáb, 24h dom)*
Dub, reggae, disco, hip-hop, um dia após o outro os shows se sucedem nesse bar descontraído, com os arcos de uma ponte.

Fabric (**C** B3)
→ *77a Charterhouse St Tel 020 7336 8898 www.fabriclondon.com*
Os três ambientes dessa casa famosa acomodam a fina flor dos DJs internacionais. Em um deles, a pista de dança tem um sistema que transmite as vibrações do som aos baladeiros. Experiência sem igual.

COMPRAS

Smithfield Market (**C** B2)
→ *Charterhouse St Seg-sex 3h-8h (vá antes das 7h)*
O mercado de carnes começa a funcionar antes do amanhecer, em uma esplêndida construção vitoriana. Passeio imperdível para quem levanta cedo!

Craft Central (**C** B2)
→ *33-35 St John's Square Seg-sáb 10h-19h*
Um *corner* que promove novos talentos do design. Para sentir a tendência!

Exmouth Market (**C** A1)
Essa rua só para pedestres se destaca por seus terraços e comércio.

Space EC1 (nº 25)
→ *Tel 020 7837 1344*
Papéis em estilo pop art, brinquedos de madeira e acessórios coloridos.

Old Spitalfields Market (**C** F2)
→ *16 Horner Square Seg-qua, sex 10h-17h (16h sex); qui, sáb-dom 9h (11h sáb)-17h*
Esse mercado coberto (1682) resistiu a todas as provas, inclusive aos bombardeios alemães. O entorno foi recentemente modernizado, mas é no centro do velho mercado que se encontram objetos antigos (seg-qui), roupas de estilistas (sex-dom) e produtos orgânicos (sáb-dom).

A. Gold (**C** F2)
→ *42 Brushfield St Tel 020 7247 2487 Seg-sex 10h-16h, sáb-dom, 11h-17h*
Produtos ingleses fabricados por métodos tradicionais e vendidos em uma graciosa loja que lembra uma casa de campo. Sanduíches, chutneys, picles, tortas, chás, mel, bolos de uísque e geleias.

Relax Garden (**C** E1)
→ *40 Kingsland Rd Tel 020 7033 1881 Diariam 12h-19h (20h qui-sex, 18h sáb-dom)*
Roupas e acessórios de estilo japonês, em uma miniloja.

WISS RE TOWER

BANK OF ENGLAND MUSEUM

▶ Mapa J

Mapa I

T BARTHOLOMEW THE GREAT

GEFFRYE MUSEUM

uildas que elegem o lord ayor (prefeito) desde 319. Os nomes de todos es estão inscritos nos trais. Veja a galeria, com mil peças que contam história de Londres, e o nfiteatro romano.

St Paul's Cathedral
. C3)
St Paul's Churchyard
l 020 7246 8350
eg-sáb 8h30-16h
epois da última guerra, catedral foi poupada em eio à destruição da City. hurchill protegeu a obra-rima de Wren, que se tor-ou o símbolo do espírito domável dos ingleses urante os bombardeios alemães. O domo, concluído em 1711, mede 110m de altura e é o maior do mundo depois do de São Pedro, em Roma. A Golden Gallery, no alto, oferece uma vista extraordinária. O interior abriga tesouros do séc. XVIII, como afrescos de Thornhill que narram a vida de São Paulo, e bancos do coro esculpidos por Gibbons. Os túmulos de Wren e Nelson estão na cripta.

★ **Museum of London**
(**C** C3)
→ *150 London Wall Tel 020 7001 9844 Diariam 10h-18h*
Belo museu dedicado à história de Londres e à vida cotidiana de seus habitantes, da pré-história aos dias atuais. Reconstituição do Grande Incêndio, maquete da London Bridge, objetos do dia a dia e roupas.

★ **St Bartholomew the Great** (**C** C3)
→ *Church House, Cloth Fair*
Tel 020 7600 0440
Dom-sex 8h30-16h (20h dom), sáb 10h30-16h
A igreja mais antiga da City (séc. XII) teve um passado tumultuado. Depois que Henrique VIII baniu as ordens religiosas no séc. XVI, o transepto norte foi usado como fundição; a cripta, como adega; a Lady Chapel, como alojamento e depois tipografia; e o claustro, como cavalariça. Restaurada, voltou a sediar cultos no séc. XIX. Os pilares do deambulatório são raros exemplos da arquitetura normanda.

★ **Geffrye Museum**
(**C** E1)
→ *136 Kingsland Rd*
Tel 020 7739 9893 Ter-dom 10h-17h (jardins abr-out)
Cativante imersão na vida de famílias da classe média britânica. As onze salas e os cinco jardins magnificamente projetados e decorados desse asilo do séc. XVIII contam a evolução das moradias desde o séc. XVII até hoje.

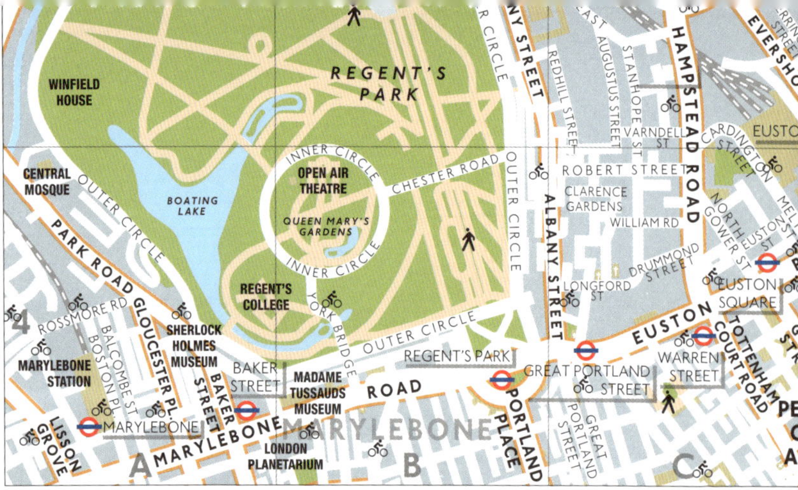

REGENT'S CANAL

ESTORICK COLLECTION

CAMDEN TOWN

★ **Charles Dickens Museum** (**D** E4)
→ *48 Doughty St Tel 020 7405 2127 Diariam 10h-17h*
Apenas o tique-taque de um relógio de parede rompe o silêncio da estreita casa em que Dickens (1812-1870) viveu de 1837 a 1839 e onde escreveu *Oliver Twist* e *Nicholas Nickleby*. Retratos e lembranças, salão vitoriano e, no subsolo, uma grade da prisão em que seu pai foi encarcerado.

★ **Foundling Museum** (**D** E4)
→ *40 Brunswick Square Tel 020 7841 3600 Ter-dom 10h (11h dom)-17h*
Em frente ao jardim que abrigou até 1926 o Foundling Hospital, esse museu homenageia Thomas Coram (1668-1751), fundador da instituição em 1739. No térreo, uma exposição retrata a miséria das ruas e a vida no hospital: gravuras de Hogarth (1697-1764), objetos e fotos. No primeiro andar, doações de artistas filantrópicos do séc. XVIII – quadros de Ramsay, Hogarth, Reynolds, teclado de cravo e partituras de Haendel – e magnífico salão rococó (Court Room).

★ **Petrie Museum of Egyptian Archaeology** (**D** D4)
→ *Malet Place, UCL Bloomsbury Campus Tel 020 7679 2884 Ter-sáb 13h-17h*
Sob os neons de um prédio universitário, a coleção do egiptólogo William Flinders Petrie (1853-1942) é uma mina de ouro arqueológica. Estatuetas, ânforas, estelas, joias e uma túnica de linho datada de 2800 a.C.

★ **British Library** (**D** D3)
→ *96 Euston Road Tel 084 3208 1144 Seg-sáb 9h30-20h (18h seg, sex; 17h sáb), dom 11h-17h*
Com uma área imensa de 112 mil m² e catorze andares, o edifício (1997) de linhas puras de sir Colin St John Wilson (1922-2007) abriga um acervo de documentos excepcional, reunido desde o séc. XVIII. Explore os tesouros da Sir John Riblat Gallery com a ajuda de tela de toque e fones de ouvido: Bíblia de Gutenberg, iluminuras do séc. XV, caderno de anotações de Da Vinci, manuscritos de Jane Austen, Charlott Brontë e Lewis Carroll e, o principal, a *Magna Carta*, a carta de direitos senhoriai extorquida em 1215 do rei João Sem Terra.

★ **London Canal Museum** (**D** E3)
→ *12-13 New Wharf Rd Tel 020 7713 0836 Ter-dom 10h-16h3*
Sorveteria fundada em 186 por Carlo Gatti (1817-1878), transformada em museu:

◄ Mapa E

CHARLES DICKENS MUSEUM

FOUNDLING MUSEUM

PETRIE MUSEUM OF EGYPTIAN A

O norte de Londres descrito por Dickens não passa de uma lembrança: a leste, lojas e bares tomam conta da Upper Street em Islington, bairro com sotaque boêmio e hippie; ao sul, a prestigiosa British Library, a esplêndida estação ferroviária de St Pancras e um amplo projeto urbano ao redor da Granary Square transformaram o antigo subúrbio industrial de King's Cross. A noroeste, Camden Town atrai visitantes dia e noite com mercados animados e muita música. Ao longo do canal, ruas repletas de casas vitorianas terminam na calma Primrose Hill, enquanto ao norte Hampstead esconde mansões em seus bosques.

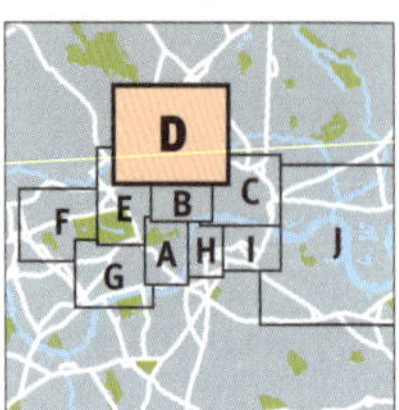

ISARN

NORTH SEA FISH

RESTAURANTES

Haché (**D** B2)
→ *24 Inverness St*
Tel 020 7485 9100
Diariam 12h-22h30
(23h sex-sáb, 22h dom)
O rei do hambúrguer logo virou sucesso! Cardápio interminável de buns recheados de cebola, pesto ou stilton, com fritas crocantes. Hambúrguer £7-13.

Isarn (**D** F2)
→ *119 Upper St Tel 020 7424 5153 Seg-sex 12h-15h, 18h-23h; sáb-dom 12h-23h (22h dom)*
Belo cenário moderno para um cardápio verdadeiramente tailandês: sopas, costeletas de porco com alho, arroz frito com abacaxi. Prato £8-14,50.

Trullo (**D** F1)
→ *300-302 St Paul's Rd*
Tel 020 7226 2733
Seg-sáb 12h30-14h45, 18h-22h15; dom 12h30-15h
Piso rústico, arandelas e toalhas de mesa brancas decoram esse neobistrô italiano famoso pelas massas frescas (tagliolini com caranguejo) e pelas carnes na brasa (contrafilé de gado Longhorn com polenta e gorgonzola). Prato £8,50-18,50.

Camino (**D** E3)
→ *The Regent's Quarter, 3 Varnishers Yard*
Tel 020 7841 7331
Seg-sáb 12h-15h (16h sáb), 18h-23h; dom 12h-16h
Perto da estação de Saint Pancras, um enorme cardápio de tapas para almoço rápido, happy hour ou jantar romântico. Música qui-sáb. Tapas £2,50-12,50; prato £9-22,50.

North Sea Fish (**D** D4)
→ *7-8 Leigh St*
Tel 020 7387 5892 Seg-sáb 12h-14h30, 17h30-22h30
Fish & chips apreciado especialmente pelos motoristas de black cabs. Os peixes fresquíssimos, servidos num antigo salão de jantar cor-de-rosa, são trazidos do norte da Inglaterra: salmão escocês, hadoque, petiscos caseiros, tudo para ser provado com ervilhas. Pode-se pedir para viagem. Prato £10-20.

Caravan (**D** D3)
→ *1 Granary Square*
Tel 020 7101 7661
Seg-sex 8h-22h30 (23h qua-qui, 23h30 sex), sáb-dom 10h-23h30 (16h dom)
Uma cantina gourmet animada, em um antigo armazém – *so hype*! Cozinha de todas as partes: nhoque com creme de alcachofra, truta com purê de algas nori, bok choy (repolho chinês), tapas... Café torrado na casa. Miniprato £5-9; prato £10-21,50.

HE HOLLY BUSH

BRITISH BOOT COMPANY

CAMDEN MARKETS

CASA DE CHÁ, PUB

Yumchaa (**D** C2)
→ *35-37 Parkway Tel 020 7209 9641 Diariam 8h (9h30 sáb-dom)-20h*
Casa de chá da moda, ideal para uma pausa longe do tumulto de Camden. Mais de 30 chás e doces frescos.

The Holly Bush
(fora do mapa **D** A1)
→ *22 Holly Mount Tel 020 7435 2892 Diariam 12h-23h (22h30 dom)*
Com vontade de uma cerveja, de uma torta bem quente e fogo na lareira? Não perca esse pub tradicional cheio de recantos, instalado em uma linda casa (séc. XVII) na parte alta de Hampstead.

BARES, SALA DE CONCERTO

Dublin Castle (**D** B2)
→ *94 Parkway Seg-qua 13h-1h, qui-dom 12h-2h www.thedublincastle.com*
Um bar típico dos bairros do norte! Do grupo Madness a Amy Winehouse, muitos astros do rock provaram e aprovaram a pequena sala de shows de luzes vermelhas no fundo do bar. Música ao vivo todas as noites.

KOKO (**D** C3)
→ *1a Camden High St Tel 087 0432 5527 Dom-sex 19h-23h (4h sex), sáb 22h-4h www.koko.uk.com*
Teatro construído em 1900, magnificamente reformado para abrigar a nova cena rock e eletrônica. Shows grandiosos em cenário rococó de cor púrpura. Capriche no visual.

Union Chapel (**D** F2)
→ *Compton Terrace Tel 020 7226 1686 www.unionchapel.org.uk*
Para mexer o corpo sob arcadas neogóticas: folk, jazz e música cigana em uma igreja ainda em atividade!

CENTROS ARTÍSTICOS

Kings Place (**D** E3)
→ *90 York Way Tel 020 7520 1490 www.kingsplace.co.uk*
Atrás de uma fachada de vidro ondulada que reflete as águas do canal, a sede do jornal *The Guardian*, duas galerias e duas salas de concerto com programação de sucesso.

Proud Camden (**D** B2)
→ *Stables Market, Chalk Farm Rd Tel 020 7482 3867 Qua-sáb 11h-2h30 (1h30 qua)* ***Galeria*** *Diariam 11h-17h30*
Restaurante e galeria de arte durante o dia, o antigo hospital equino de Stables Market se torna à noite um bar animado para ver shows ou fazer a festa nos estábulos, transformados em excêntricas alcovas.

The Round House (**D** B2)
→ *Chalk Farm Rd Tel 020 7424 9991 www.roundhouse.org.uk*
Reaberto em 2006 após uma reforma: com rotunda de 1846, era nos anos 1960-70 local de apresentação de Jimi Hendrix, Pink Floyd e outros astros. Música, teatro, dança, circo e cabaré.

COMPRAS

Camden Passage
(**D** F3)
→ *Dom-ter 11h-18h (16h dom), qua-sáb 8h (10h sex)-16h* ***Antiguidades*** *Qua-dom*
Livros usados, bijuterias, artigos vintage. Mas deve-se ver esse enclave para pedestres em Islington nos dias de mercado de pulgas, com as barracas ao ar livre.

British Boot Company
(**D** C2)
→ *5 Kentish Town Rd Tel 020 7485 8505 Diariam 10h30-19h*
O lendário estoque de Doc Martens, fabricado a partir de 1958, calçou gerações de skinheads, de punks e de roqueiros. Inúmeros modelos numa pequena loja de paredes rabiscadas: lisos, de verniz ou mais audaciosos!

Camden Markets
(**D** B2-C2)
→ *Chlak Farm Rd Diariam 10h-18h Maior movimento sáb-dom*
Animado e exótico, o mercado de pulgas mais popular da cidade!

Buck Street Market
Duzentas bancas, entre as quais sebos de discos e lojas punk.

Camden Lock Market
Roupas, acessórios e artesanato em um saguão de tijolos cheio de cantinas exóticas.

Stables Market
Móveis, antiguidades e roupas nos estábulos reformados (1854).

Regent's Park Road
(**D** A2-B2)
Bela rua repleta de cafés, delis e lojas.

Graham & Green
→ *Nº 164 Tel 020 7586 2960 Seg-sáb 10h-18h, dom 11h30-17h30*
Objetos de decoração.

Mary's Living and Giving Shop
→ *Nº 109 Tel 020 7586 9966 Seg-sáb 10h-18h, dom 12h-17h*
Tradicional *charity shop*.

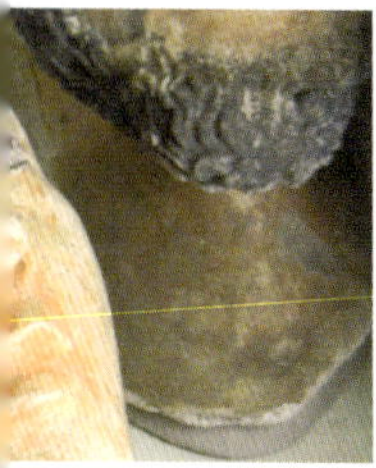

LOGY

BRITISH LIBRARY

LONDON CANAL MUSEUM

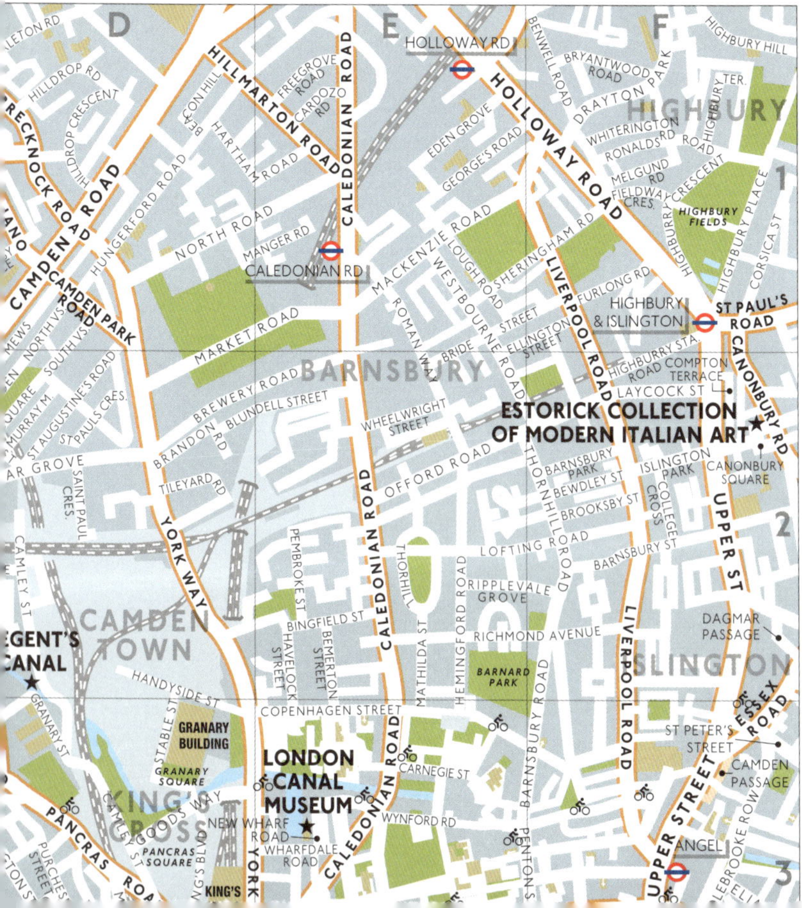

◀ Mapa C

PRIMROSE HILL

KENWOOD HOUSE

história dos canais e re-
onstituição viva da vida
os barqueiros.

Regent's Canal (**D** D2)
esde 1820 esse canal de
3km liga a bacia verdejante
e Little Venice (**F** E1) às
ocas (**J** D2), atravessando
Regent's Park, Camden
own, Islington e o East End.
ostoso passeio ao longo
e margens escarpadas,
ntre embarcações de fun-
o chato e pedestres.

Estorick Collection of
odern Italian Art (**D** F2)
39a Canonbury Square
l 020 7704 9522 Qua-sáb
h-18h, dom 12h-17h
ssa morada georgiana aco-
oda a coleção de arte italiana de Eric Estorick (1913-1993). Obras dos pioneiros do Futurismo, inspirados pelo Cubismo, a tecnologia e a velocidade: Balla (*Ritmo do violonista*, 1912), Boccioni (*Ídolo moderno*, 1911), Carrà (*Saída do teatro*, 1911), Russolo (*Música*, 1911) e Severini (*Boulevard*, 1911). Telas de Modigliani, De Chirico e Morandi. Café agradável.

★ **Camden Town** (**D** B2)
Antigas casas de tijolos, fachadas extravagantes, animado mercado de pulgas, música underground e aromas exóticos no bairro mais original de Londres... Em Camden Town, a excentricidade é a regra, e punks, góticos, pessoas bonitas ou da moda se cruzam a qualquer hora do dia ou da noite.

★ **Primrose Hill** (**D** A2)
A oeste de Camden Town, a modesta "colina das Prímulas" oferece uma vista ímpar de Londres e de Hampstead. A quietude e as casas vitorianas atraem muitas celebridades.

★ **London Zoo** (**D** B3)
→ *Regent's Park Tel 020 7449 6200 Set-meados fev: diariam 10h-16h; meados fev-mar: 10h-17h; abr-ago: diariam 10h-18h*
Inaugurado em 1828, esse parque zoológico de 15ha não para de se renovar a fim de melhorar o bem-estar de seus habitantes. Abriga treze edificações divididas por espécies. De insetos a girafas, há mais de 750 espécies de todos os tamanhos, inclusive uma magnífica coleção de répteis.

★ **Kenwood House**
(fora do mapa **D** A1)
→ *Hampstead Lane Metrô Golders Green + ônibus 210 Tel 087 0333 1181 Diariam 10h-17h*
Escondida no coração de Hampstead Heath, essa elegante mansão de 1766 abriga quadros de mestres (Rembrandt, Vermeer, Turner, Gainsborough) e retratos elisabetanos. Não perca a suntuosa Adam Library.

WALLACE COLLECTION

ALL SOULS CHURCH

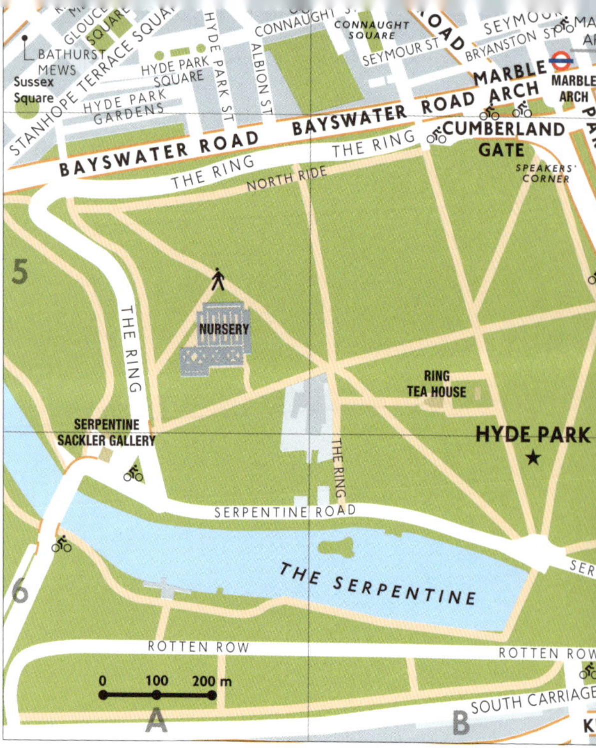

◄ Mapa G

★ **Regent's Park** (**E** C1)
→ *Tel 030 0061 2300*
Diariam 5h-anoitecer
Em 1811, John Nash, grande arquiteto neoclássico, obteve o apoio do futuro rei Jorge IV para realizar seu sonho de criar uma cidade-jardim nas antigas terras do duque de Portland: em frente ao parque, terraços com altos pórticos e longas fachadas com estuques e maciças colunas; dentro, luxuosas mansões e, nos arredores, casas mais modestas agrupadas em românticas vilas... Na falta de dinheiro, apenas alguns prédios foram erguidos, mas esse espaço verde tem outros trunfos: quadras de tênis e críquete, zoo, o magnífico roseiral da rainha Mary e um teatro ao ar livre de 1.240 lugares, aberto de meados de maio ao começo de setembro.

★ **Madame Tussauds** (**E** C3)
→ *Marylebone Rd*
Tel 0871 894 3000
Meados jul-ago: diariam 9h-19h; set-meados jul: seg-sex 9h30-17h30, sáb-dom 9h-18h
Personagens de cera representam celebridades e grandes nomes da história em fascinantes encenações. Os super-heróis da Marvel transformam o antigo planetário em espaço de aventuras 4D, e em *Spirit of London* viaja-se ao passado da cidade a bordo de um táxi sobre trilhos.

★ **Sherlock Holmes Museum** (**E** B3)
→ *221b Baker St*
Tel 020 7224 3688
Diariam 9h30-18h
Explore o apartamento do famoso detetive criado por Conan Doyle e veja de perto o cachimbo e o violino que lhe pertenceram, além da pistola de Watson.

★ **Wallace Collection** (**E** C4)
→ *Manchester Square*
Tel 020 7563 9500
Diariam 10h-17h
Dândi excêntrico e colecionador, o quarto marquês de Hertford (1800-1870) amava quadros (Hals, Rembrandt, Poussin, Fragonard), móveis (Boulle e Riesener), objetos de arte, armas ocidentais e orientais e armaduras. Seu herdeiro ilegítimo, Richard Wallace, deu continuidade ao acervo que sua viúva francesa doou ao Estado em 1897 com a condição de que as obras nunca deixassem o museu.

★ **All Souls Church** (**E** D4)
→ *2 All Souls Place Tel 020 7580 3522 Seg-sex 9h30-17h30, dom 8h30-11h30*

SHERLOCK HOLMES MUSEUM

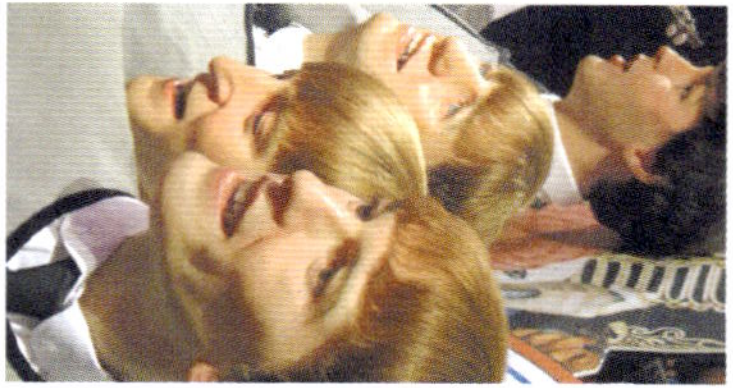
MADAME TUSSAUDS MUSEUM

REGENT'S PARK

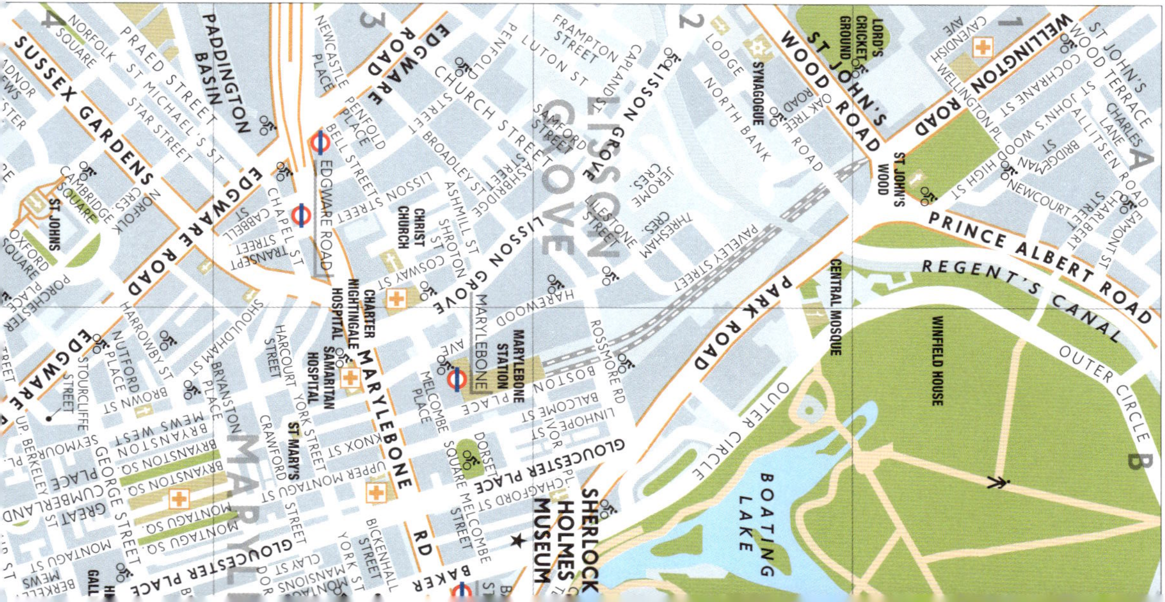

E

Mayfair / Marylebone

Mayfair é conhecido como o bairro mais chique de Londres. Embora Vivienne Westwood, a criadora subversiva do look punk da década de 1970, tenha uma loja nessa área, hotéis de prestígio e butiques luxuosas das ruas New e Old Bond correspondem melhor à sua estatura. Algumas ruas ao norte, Marylebone esbanja animação, sobretudo na Marylebone High St, e se orgulha de suas belas fachadas georgianas. Por sua vez, em torno do Regent's Park há lindas construções neoclássicas, como o Cumberland Terrace, de John Nash, com seus frontões azuis e brancos.

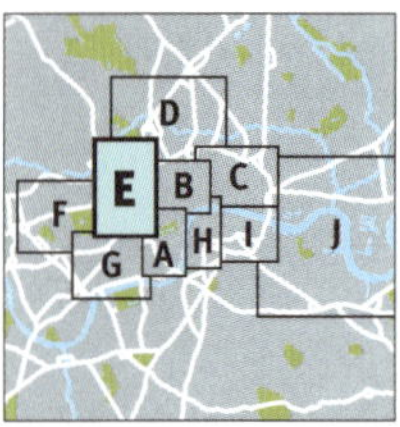

THE SEA SHELL

MAROUSH

RESTAURANTES

Nagomi (**E** D4)
→ *4 Blenheim St*
Tel 020 7165 9506
Seg-sex 12h-14h30, 18h-22h30; sáb-dom 12h-15h, 18h-22h15 (21h30 dom)
Painéis corrediços separam a cozinha do salão nesse conceituado restaurante japonês. Sushis, bolinhos de polvo, macarrão, tempurá, bolinhos de arroz e feijão-azuki. Prato £8-23.

Carluccio's (**E** C4)
→ *3-5 St Christopher's Place Tel 020 7935 5927*
Seg-sex 7h30-23h30, sáb-dom 9h-23h30 (22h30 dom)
Em uma pracinha, oferece toda a Itália à base de ingredientes de alta qualidade, para comer lá mesmo ou para viagem. Prato £8,25-16.

The Sea Shell (**E** A3)
→ *49-51 Lisson Grove*
Tel 020 7224 9000
Seg-sáb 12h-22h30
Decoração branca e verde e balcões de mármore nesse local que serve um excelente fish and chips. Prato £12,50-32,50.

Maroush (**E** B4)
→ *21 Edgware Rd*
Tel 020 7723 0773
Diariam 12h-2h
Desde 1980, esse restaurante libanês permanece igual, e sua culinária, autêntica e saborosa. No almoço, mezzes; à noite, cordeiro e frango grelhados com acompanhamentos. Há apresentação de dança oriental. Prato £14-21.

Corrigan's Mayfair (**E** C5)
→ *28 Upper Grosvenor St*
Tel 020 7499 9943
Seg-sex 12h-15h, 18h-23h; sáb 18h-23h; dom 12h-16h, 18h-21h30
A culinária generosa, brilhante e despretensiosa do chef irlandês Richard Corrigan: turbot (peixe) empanado, creme ao conhaque e estragão, guisado de porco com nabo e damasco... Excepcional carta de vinhos. Reserve com bastante antecedência, sobretudo sáb e dom. Prato £18-48.

Wild Honey (**E** D4)
→ *12 St George St*
Tel 020 7758 9160
Seg-sáb 12h-14h30, 18h-22h30
Aconchegante ambiente de lambris de madeira decorados com quadros, onde se oferece uma premiada culinária de gastropub: terrine de foie gras com especiarias doces, nozes carameli-zadas com peras e uma

WIGMORE HALL

SOUTH MOLTON STREET

ALFIE'S ANTIQUE MARKET

seleção de queijos finos. Menu (almoço) £29,50; prato £24-33.

CASAS DE CHÁ

The Wallace (**E** C4)
→ *Wallace Collection, Manchester Square Tel 020 7563 9505 Dom-qui 10h-16h; sex-sáb 10h-16h, 18h-21h15*
Essa casa de chá dentro do museu é uma joia.

Rose Bakery (**E** D5)
→ *17-18 Dover St*
Tel 020 7518 0687 Seg-sáb 11h-17h, dom 12h-16h
No último andar do Dover Street Market, sopas, bolos caseiros, pratos do dia e opções vegetarianas,sucos de frutas e chás finos.

The Lanesborough (**E** C6)
→ *Lanesborough Hotel, Hyde Park Corner*
Tel 020 7259 5599 ***Serviço*** *Diariam 16h, 16h30, 17h*
A cerimônia do chá à moda inglesa, em um grande hotel ao lado do Hyde Park. Chás finos, escolhidos pelo *tea sommelier*, scones e outros doces. Há também como opção morangos frescos e uma taça de champanhe...

BARES, SHOWS

Vinoteca (**E** B4)
→ *15 Seymour Place Tel 020 7724 7288 Diariam 12h-23h (12h-17h dom)*
Um lugar animado com charme rústico, escondido em uma ruela perto de Marble Arch. Toda semana, 30 vinhos diferentes para degustar com pratos quentes e tábua de frios.

The Social (**E** D4)
→ *5 Little Portland St*
Tel 020 7636 4992 Seg-sáb 11h30-24h (1h qui- sáb), dom 18h-1h
Os frequentadores se distraem com a juke-box no bar térreo até a abertura do outro no subsolo às 18h, quando chegam os que saem do trabalho.

Wigmore Hall (**E** C4)
→ *36 Wigmore St*
Tel 020 7935 2141
www.wigmore-hall.org.uk
Para os apreciadores esclarecidos da música de câmara e jazz, com acústica e programação imbatíveis.

COMPRAS

Dover Street Market (**E** D5)
→ *17-18 Dover St Tel 020 7518 0680 Seg-sáb 11h-18h30 (19h qui-sáb), dom 12h-17h*
O fascinante "mercado" vanguardista de Rei Kawakubo, repleto de estilistas e criadores de moda. Roupas e acessórios para homens e mulheres em seis andares.

Geo F. Trumper (**E** D5)
→ *9 Curzon St*
Tel 020 7499 1850
Seg-sáb 9h-17h30 (17h sáb)
Pincéis de barbear em todos os tamanhos e feitios, navalhas afiadas, colônias e loções pós-barba na mais famosa perfumaria masculina. E, para encarnar um dândi completo, faça as unhas numa das mais famosas lojas para cavalheiros da cidade.

Topshop Topman (**E** D4)
→ *214 Oxford St Tel 084 4848 7487 Seg-sáb 9h-22h (21h sáb), dom 11h30-18h*
Uma verdadeira cidade da moda. As tendências a preços modestos para mulheres e homens de todas as idades, incluindo crianças pequenas e bebês.

Old e New Bond Streets (**E** D4-D5)
Smythson of Bond Street
→ *40 New Bond St*
Luxuosos artigos de couro para escritório.
Alexander McQueen
→ *4-5 Old Bond St*
As últimas coleções masculinas e femininas.
De Beers, Tiffany, Asprey
→ *46-50 Old Bond Street*
Entre as joias mais fabulosas do mundo.
Charbonnel et Walker
→ *28 Old Bond Street*
Com hortelã, lavanda, framboesa ou rosa, os chocolates na mais pura tradição insular.

South Molton Street (**E** D4)
Browns
→ *27 South Molton St*
Grandes costureiros.
Kurt Geiger
→ *65 South Molton St*
Sapatos de luxo.

Selfridges (**E** C4)
→ *400 Oxford St*
Tel 080 0123 400
Seg-sáb 9h30-20h (21h qui), dom 11h30-18h
Essa é uma loja de departamentos para todos os bolsos (coleções masculinas, baralhos e prateleiras de alimentos), que no Natal vende diversas especialidades inglesas.

Alfie's Antique Market (**E** A3)
→ *13-25 Church St*
Tel 020 7723 6066
Ter-sáb 10h-18h
Um dos maiores mercados cobertos do país (1976): quatro andares de antiguidades (a partir do séc. XVIII) do mundo todo, com uma infinidade de objetos de design do séc. XX.

HANDEL HOUSE MUSEUM

SHEPHERD MARKET

GREEN PARK

▲ Mapa D

▼ Mapa B

APSLEY HOUSE

HYDE PARK

◄ Mapa A

única igreja londrina de ...hn Nash ainda de pé ...824) combina um pórtico ...cular com colunata e ...na torre cônica neogótica. ...na curiosidade batizada ... "bolo de casamento" na ...oca de sua criação.

★ Handel House Museum (**E** D4)
→ *25 Brook St Tel 020 7495 ...35 Ter-sáb 10h-18h ...h qui), dom 12h-18h*
...uma pracinha de para...epípedo, a casa onde o ...mpositor Haendel (1685-...59) viveu a partir de 1723: ...osentos privados, sala de ...saios, partituras, cópia ...seu cravo, gravação do *...ssias* na versão original.

★ Shepherd Market (**E** D6)
→ *Entre Curzon St e Piccadilly*
Esse oásis de paz lembra uma pequena vila, cortado por calçadões e com atraentes pátios pavimentados. Costumava ser o centro das May Fairs (feiras de cereais e gado), de onde toda a região herdou o nome.

★ Green Park (**E** D6)
→ *Tel 030 0061 2350*
Extensos gramados à sombra de plátanos e tílias, bancos de ferro e lampiões a gás. Um parque pitoresco e de charme sóbrio.

★ Apsley House (**E** C6)
→ *149 Piccadilly, Hyde Park Corner Tel 020 7499 5676 Abr-out qua-dom 10h-18h (17h out); nov-mar sáb-dom 10h-16h*
A casa foi dada ao duque de Wellington (1769-1852) como recompensa por sua vitória sobre Napoleão, na Batalha de Waterloo (1815). Por ser amante da arte, recebeu quadros e objetos preciosos de pessoas influentes. O acervo inclui espólios de guerra, quadros de grandes mestres (Goya, Rubens, Velázquez etc.), esculturas (como uma de Napoleão com apenas uma folha de parreira, de Canova), objetos de ouro e prata e porcelana inestimável.

★ Hyde Park (**E** B6)
→ *Tel 030 0061 2000 Diariam 5h-24h*
O parque mais disputado de Londres parece um imenso pulmão verde no centro da cidade. Banhistas, barcos e cisnes percorrem as águas do Serpentine, onde ocorre, no Natal, um memorável banho à meia-noite. Cavaleiros desfilam ao longo de Rotten Row e os gramados convidam ao descanso. Desde 1872, o Speaker's Corner abriga qualquer pessoa que queira fazer um discurso e conquistar os transeuntes para sua causa.

HOLLAND PARK

NOTTING HILL

★ **Kensington Gardens** (**F** E2)
→ *Tel 030 0061 2000 Diariam 6h-anoitecer*
Originalmente uma área de lazer para rainhas jardineiras, esse parque se tornou o paraíso das crianças: barquinhos de controle remoto no Round Pound; cabanas indígenas e navios de pirata no Diana Memorial Playground; espetáculos de marionetes no verão. Os canteiros de flores e as águas do Sunken Gardens, escondidos pelas tílias, lembram os jardins da era Tudor.

★ **Serpentine Gallery** (**F** F3)
→ *Kensington Gardens Tel 020 7402 6075 Ter-dom 10h-18h*
Esse pequeno pavilhão luminoso, onde outrora se tomava chá, agora recebe belas exposições de arte contemporânea, assim como sua prima Serpentine Sackler Gallery (**F** F2), antiga edificação de tijolos reformada em 2013 por Zaha Hadid.

★ **Kensington Palace** (**F** D3)
→ *Kensington Palace Gardens Tel 084 4482 7777 Mar-out: diariam 10h-18h; nov-fev: diariam 10h-17h*
Uma residência da família real desde 1689. A princesa Vitória, batizada na Sala da Cúpula em 1819, reuniu seu primeiro conselho no Salão Vermelho, e Diana residiu no palácio desde seu casamento. Veja as pinturas em trompe-l'œil, os retratos e a linda coleção de fardas e trajes da corte.

★ **18 Stafford Terrace** (**F** C4)
→ *18 Stafford Terrace Tel 020 7938 1295 Visita guiada com hora marcada Meados set-meados jun: qua, sáb-dom 11h15, 13h, 14h15 e 15h30*
O interior vitoriano está praticamente intacto. Entre 1874 e 1946, essa foi a residência de Sambourne, ilustrador da revista satírica *Punch*. Caricaturas cobrem as paredes, e a casa deve a maioria dos elementos de decoração, como os papéis pintados, a William Morris. Uma atriz, vestida a caráter, anima a visita de fins de semana, inspirando-se nas memórias de Lady Sambourne: excelente!

★ **Leighton House** (**F** B4)
→ *12 Holland Park Rd Tel 020 7602 3316 Qua-seg 10h-17h30*
Atrás da fachada clássica reina a extravagância. Frédéric Leighton (1830-1896), artista e presidente da Royal Academy, era um viajante entusiasta e orientalista. Queria as paredes vermelhas como as de Pompeia e um saguão digno de um palácio árabe. A casa possui de tudo, desde azu-

KENSINGTON GARDENS

SERPENTINE GALLERY

Local de veraneio antes mesmo que o Kensington Palace se tornasse residência real em 1689, Kensington manteve sua dupla característica: comercial, graças às lojas da Kensington High St, e residencial, com suas imponentes casas e *mews* (antigas cavalariças) reformadas. Ao norte de Notting Hill Gate, o afluxo de jovens bem-sucedidos e de celebridades faz esquecer que por muito tempo a área foi um gueto. Sempre presente ao norte da Portobello Rd, a comunidade afro-caribenha organiza no verão um incrível festival. A nordeste, os canais de Little Venice oferecem lindos passeios românticos.

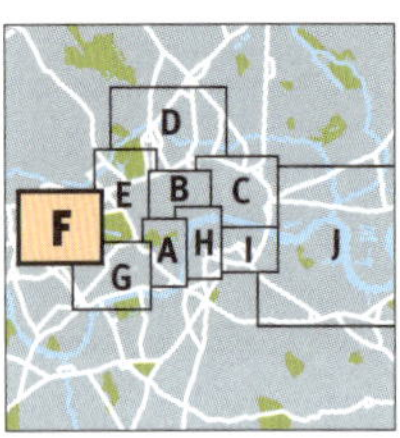

OTTOLENGHI

MAGGIE JONES'S

RESTAURANTES

Taqueria (**F** C1)
→ *139-143 Westbourne Grove Tel 020 7229 4734 Dom-sex 12h-23h (23h30 sex), sáb 11h-23h30*
Cantina mexicana a preço razoável, em ambiente descontraído. No cardápio: tacos, tortillas, tostados etc. £5-7.

Electric Diner (**F** B1)
→ *191 Portobello Rd Tel 020 7908 9696 Diariam 8h-23h (24h qui-sex, 22h dom)*
Ao lado de um dos cinemas mais velhos da cidade, esse simpático local tem mesas de madeira maciça e bancos de couro marrom-escuro. As saladas e pratos caprichados, como hambúrgueres ou tutano, atraem clientela cosmopolita. Prato £5-17.

Ottolenghi (**F** C1)
→ *63 Ledbury Rd Tel 020 7727 1121 Seg-sáb 8h-20h (19h sáb), dom 9h-18h*
Essa trattoria famosa pelas saladas e pelos doces artesanais é frequentada pela seleta clientela de Notting Hill. Na vitrine, as preparações do dia aguçam o apetite. Prato £11,50-14.

The Cow (**F** C1)
→ *89 Westbourne Park Rd Tel 020 7221 0021 Seg-sex 12h-15h30, 18h-22h30; sáb-dom 12h-22h (15h30 dom)* ***Bar*** *Diariam 12h-23h (22h30 dom)*
Saboreie ostras com cerveja em torno do aquecedor nesse aconchegante gastropub... Para uma refeição completa, fique no piso reservado aos jantares e ao tradicional sunday roast (assado de domingo). Prato £12-23.

Kateh
(fora do mapa **F** E1)
→ *5 Warwick Place Tel 020 7289 3393 Seg-qui 18h-23h; sex-sáb 12h-16h, 18h-23h; dom 12h-21h30*
O melhor da gastronomia persa: sardinhas grelhadas com manjericão, ghormeh sabzi (vitela com ervas e feijão-vermelho) e suculentas sobremesas caseiras... ao lado dos canais de Little Venice. Prato £12-25.

Maggie Jones's
(**F** D3)
→ *6 Old Court Place Tel 020 7937 6462 Diariam 12h-14h, 18h-22h*
Atrás da fachada florida, parece a casa de campo de uma dama distinta: móveis de madeira, flores secas, prateleiras com vasos desiguais. Uma clientela fiel frequenta o lugar desde 1960, atraída pela gentileza do serviço

CHURCHILL ARMS

NOTTINGHILLARTSCLUB

CERAMICA BLUE

e pelos pratos do cardápio. Prato £8 (almoço); £14,75-26 (jantar).

CASA DE CHÁ

The Orangery (**F** D3)
→ *Kensington Palace, Kensington Gardens Tel 020 3166 6113 Diariam 10h-17h*
High tea refinado ou lanche salgado numa estufa erigida para uma rainha (1704). Edificação iluminada, dá para os jardins. A partir de £26/pessoa.

BARES, PUBS, CINEMA, CASA NOTURNA

Julie's Bar (**F** A2)
→ *135 Portland Rd Tel 020 7229 8331 Diariam 10h-23h*
Um espaço de calma e romantismo localizado em uma praça para pedestres, ao lado do mercado de Portobello Road. O terraço dá para as charmosas fachadas dos arredores. Dentro, salões com vários ambientes (mediterrâneo, oriental, British...) recebem uma clientela chique para o jantar ou para uma taça de champanhe. Ao meio-dia de domingo, *sunday creche* para as crianças (com reserva).

Churchill Arms (**F** C3)
→ *119 Kensington Church St Tel 020 7727 4242 Seg-sáb 11h-23h (24h qui-sáb), dom 12h-22h30*
Esse grande pub tem muitos objetos: uma parafernália de cestos de vime e fotos. Popular pelo ambiente e pela ótima comida tailandesa, servida na varanda enfeitada com plantas.

Ladbroke Arms (**F** B2)
→ *54 Ladbroke Rd Tel 020 7727 6648 Seg-sáb 11h30-23h, dom 12h-22h30*
Essa pequena casa amarela abriga o mais caloroso dos pubs, com lareiras, paredes claras, sofás bordô e um terraço.

Electric Cinema (**F** B1)
→ *191 Portobello Rd www.electriccinema.co.uk*
Um cinema mítico (1911), primeiro edifício projetado para a exibição de filmes. Acomode-se em poltronas de couro vermelho, em sofás... e em camas de dois lugares, com cobertores de cashmere!

Notting Hill Arts Club (**F** C2)
→ *21 Notting Hill Gate Tel 020 7460 4459 Ter-sáb 19h-2h*
Clube no subsolo com pista de dança, bom para ouvir world music altamente rítmica tomando um drinque gelado: funk latino, d'n'b asiático, punk cigano...

COMPRAS

Urban Outfitters (**F** D3)
→ *36-38 Kensington High St Tel 020 7761 1001 Seg-sáb 10h-20h (21h qui-sex), dom 12h-18h*
Esse imenso espaço em tons de concreto é ocupado por um caos organizado, onde se pode encontrar roupas da moda, objetos de decoração, mapas e revistas.

Fara Kids (**F** C1)
→ *39-41 Ledbury Rd Tel 020 7229 3634 Diariam 10h-18h*
Os mais jovens também têm sua charity shop! Roupas e acessórios para garimpar entre os maiores nomes da moda infantil.

Oliver Bonas (**F** C2)
→ *42 Notting Hill Gate Tel 020 7221 8370 Seg-sáb 9h30-18h30 (18h sáb), dom 11h-18h*
Seleção variada e colorida de acessórios, roupas, móveis e objetos de decoração.

Rellik
(fora do mapa **F** A1)
→ *8 Golborne Rd (1º à dir. na Ladbroke Grove, depois de Oxford Gardens) Tel 020 8962 0089 Ter-sáb 10h-18h*
Aos pés da Trellik Tower, gigante de 30 andares, um dos melhores brechós de Londres vende peças de nomes famosos do mercado de Portobello Rd.

Paul Smith (**F** B1)
→ *Westbourne House, 122 Kensington Park Rd Tel 020 7727 3553 Seg-sex 10h30-18h30 (19h qui-sex), sáb 10h-19h, dom 12h30-17h30*
A estrela da moda masculina inglesa instalou sua *flagship store* numa suntuosa casa eduardiana. Cortes clássicos retrô ou étnicos, tecidos em vários padrões.

The Spice Shop (**F** B1)
→ *1 Blenheim Crescent Tel 020 7221 4448 Seg-sáb 10h-18h, dom 11h-15h*
Atrás da fachada colorida existe uma caverna de Ali Babá: frutas secas, ervas aromáticas e especiarias.

Books for Cooks (**F** B1)
→ *4 Blenheim Crescent Tel 020 7221 1992 Ter-sáb 10h-18h*
Livros de cozinha do chão ao teto e um minúsculo restaurante em que se experimentam as receitas das obras das estantes.

Ceramica Blue (**F** B1)
→ *10 Blenheim Crescent Tel 020 7727 0288 Seg-sáb 10h-18h30, dom 12h-17h*
Louça de faiança, copos coloridos, utensílios...

KENSINGTON PALACE

18 STAFFORD TERRACE

LEIGHTON HOUSE

ORTOBELLO ROAD MARKET

MUSEUM OF BRANDS

LITTLE VENICE

ejos de faiança de Iznik até uma fonte murmurante. ambém estão em exibição uadros pré-rafaelitas dos migos de Leighton, espe- ialmente telas de Burne- ones de Millais.

★ **Holland Park** (**F** B3)
→ *Diariam 7h30-anoitecer*
 mais romântico parque de ondres é um conjunto de equenos jardins (japonês, olandês, de rosas e de íris), nde se encontram pavões. udo o que resta da Holland ouse (1605), mansão em stilo holandês, é a ala oes- e, um raro vestígio do perío- o jacobiano. Nas noites de erão, executam-se peças, alés e óperas no terraço.
O parque tem restaurante e café requintados.

★ **Notting Hill** (**F** B2)
Bairro relativamente negli- genciado até a década de 1990, quando começou a atrair jovens profissionais abastados, desejosos de um ambiente diferente. As resi- dências georgianas estão em alta, casas em tons pastel se alinham em ruas e ladeiras, bairros deteriorados se es- tendem para o norte. O filme *Um lugar chamado Notting Hill*, de 1999, tornou a área mais conhecida, e o preço das casas triplicou. No fim de agosto, o Carnaval, organiza- do por comunidades étnicas desde a década de 1950, tem gastronomia, música e ambiente animado!

★ **Portobello Road Market** (**F** B2)
→ *Portobello Rd*
Seg-sáb 9h-18h (13h qui)
Antiguidades *Sáb 7h-16h*
Muito procurado aos sába- dos, quando bancas de frutas e verduras disputam espaço ao lado das de anti- guidades, roupas de segun- da mão e brechós.

★ **Museum of Brands, Packaging and Advertising** (**F** A1)
→ *111-117 Lancaster Rd*
Tel 020 7908 0880 Ter-sáb 10h-18h, dom 11h-17h
Toda a história das marcas, das embalagens e da publi- cidade desde a era vitoriana até hoje, nesse museu que traz muitas lembranças: cai- xas, cartazes e amostras de produtos em geral...

★ **Little Venice**
(fora do mapa **F** E1)
→ *Puppet Theatre Barge 35 Blomfield Rd Tel 020 7249 6876*
Na junção entre o Grand Union Canal e o Regent's Canal, uma represa permitia que as barcaças manobras- sem antes de atracar em um terceiro canal sem saída. Hoje em dia, apenas algu- mas casas-barco e famílias de patos dão um pouco de animação a esse tranquilo local. Há um charmoso tea- tro de marionetes flutuante.

CHRISTIE'S

CHELSEA PHYSIC GARDEN

★ **Royal Albert Hall** (**G** B1)
→ *Kensington Gore Tel 084 5401 5034 (reservas)* ***Visita guiada*** *veja a programação no site www.royalalberthall.com*
Essa ilustre sala de concertos (1871), que se assemelha a um anfiteatro romano de tijolos vermelhos, tem programação eclética: pop, música clássica, jazz... Parada obrigatória dos maiores artistas, no verão abriga os célebres Proms, festival de música clássica. Não perca o Albert Memorial, nos jardins de Kensington, logo em frente.

★ **Brompton Oratory** (**G** C2)
→ *Brompton Rd Tel 020 7808 0900 Diariam 7h-20h*
Essa igreja católica em estilo neobarroco (1884) abriga doze estátuas que representam os apóstolos, criadas por Giuseppe Mazzuoli (1644-1725).

★ **Victoria & Albert Museum** (**G** C2)
→ *Cromwell Rd*
Tel 020 7942 2000
Diariam 10h-17h45 (22h sex)
O V&A contém o maior acervo de artes decorativas do mundo. Galerias para exposições se estendem por mais de 10km e 4 milhões de peças estão expostas em 146 salas. Esboços de Rafael, tecidos indianos, cerâmicas coreanas: a diversidade de objetos europeus e asiáticos é imensa, e a seção de arte indiana só encontra equivalente na Índia. O museu também abriga esculturas, fotografias e quadros de pintores ingleses.

★ **Science Museum** (**G** C1)
→ *Exhibition Rd*
Tel 020 7942 4000
Diariam 10h-18h
Museu voltado para o progresso científico: interatividade e simulações nos quatro andares, seguidos dos últimos avanços científicos (clonagem, a mais recente missão a Marte, avanços da engenharia genética). Enquanto isso, as antigas salas continuan mostrando as principais invenções da era industria como a primeira máquina a vapor, o módulo de comando da Apollo 10 e um míssil V2.

★ **Natural History Museum** (**G** B2)
→ *Cromwell Rd.*
Tel 020 7942 5000
Diariam 10h-17h50
Até a fachada do museu possui plantas e animais em abundância. São 78 m lhões de espécies, mas só uma parte do acervo é exposta, mapeando a história e a diversidade da vida

ROYAL ALBERT HALL

BROMPTON ORATORY

VICTORIA & ALBERT MUSEUM

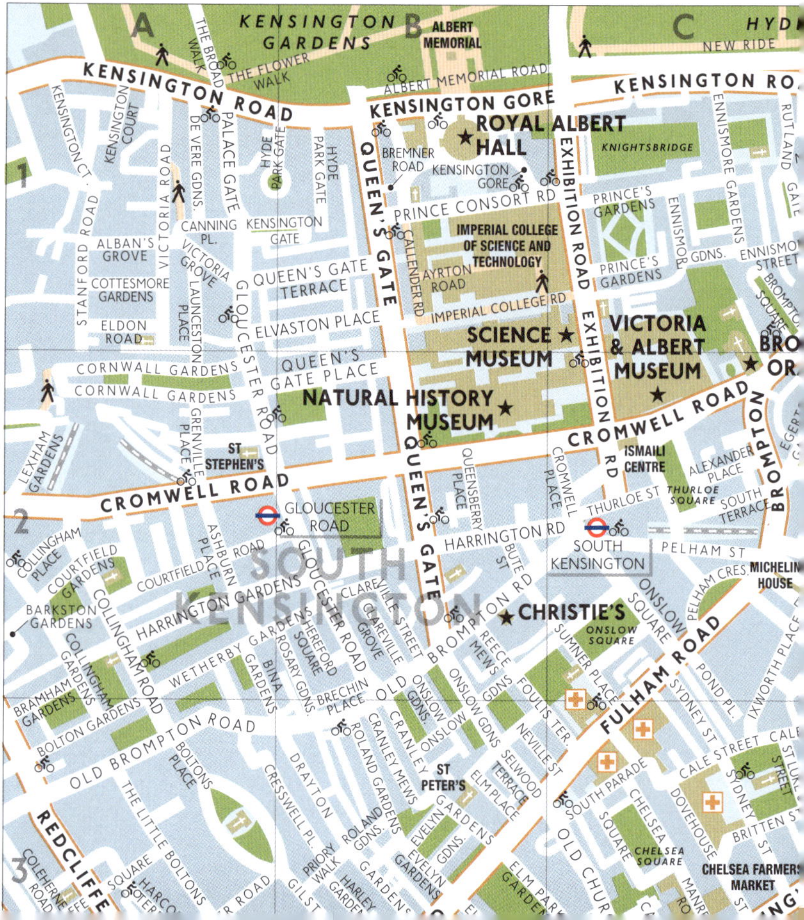

A região transpira elegância e estilo, desde os prestigiosos museus de South Kensington até Knightsbridge, epicentro de compras de luxo, com a Harrods e a Sloane Street, vitrines da alta-costura. A leste, embaixadas e casas aristocráticas se escondem atrás das fachadas imponentes de Belgravia, um mundo distante do animado ambiente de Chelsea. Neste último bairro, cafés aconchegantes, lojas de antiguidades e butiques da moda incitam a extravagantes impulsos de compra, enquanto as bonitas ruelas floridas onde moram diversos artistas convidam a deliciosas caminhadas sem rumo.

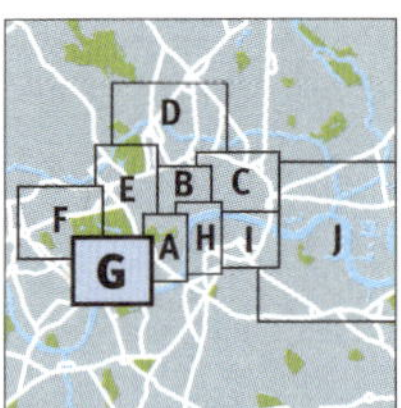

THE PHOENIX

BIBENDUM

RESTAURANTES

Amaya (**G** E1)
→ *15 Halkin Arcade, Motcomb St Tel 020 7823 1166 Seg-sáb 12h30-14h15, 18h30-23h30; dom 12h45-14h45, 18h30-22h30*
As delícias da Índia, na penumbra de um ambiente requintado: ostras grelhadas com molho de coco, frango tikka marinado com pimenta-do-reino ou chiche-kebab e doce de chocolate com rasmalai. Prato £10-36.

The Phoenix (**G** D3)
→ *23 Smith St Tel 020 7730 9182 Seg-sáb 11h-23h, dom 12h-22h30*
Ótimo terraço para tomar os primeiros raios de sol pela manhã. Boa culinária clássica de pub. Todas as sextas, fish and chips. Prato £6-8,50 (almoço); £11-16 (jantar).

Pig's Ear (**G** C4)
→ *35 Old Church St Tel 020 7352 2908 Seg-sex 12h-15h, 18h-22h; sáb-dom 12h-22h (21h dom)* ***Bar*** *Diariam 12h-24h (23h dom)*
Esse gastropub típico, que só manteve as orelhas de porco no nome, oferece apurada cozinha inglesa moderna: bochechas de porco assadas com cevadinha, steak tartare e cheesecake, servidos no bar no piso térreo ou no belo salão com tacos de madeira no primeiro andar. Prato £11-22.

The Thomas Cubitt (**G** F2)
→ *44 Elizabeth St Tel 020 7730 6060 Diariam 12h-16h30, 18h-20h*
Uma instituição de Belgravia. A um só tempo pub e restaurante elegante, serve pratos saborosos como perna de cordeiro, beef & Guinness pie, cervo ensopado, fish & chips, peixe da estação... Prato £13,50-29,50.

Cambio de Tercio (**G** A3)
→ *163 Old Brompton Rd Tel 020 7244 8970 Diariam 12h-14h30, 18h30-23h30*
Grandes quadros com cenas de touradas enfeitam as paredes de cores vivas do aconchegante salão. Delicioso cardápio de tapas (polvo da Galícia, lula, crustáceos). Tapas £6-15; prato £18-28.

Bibendum (**G** C2)
→ *Michelin House, 81 Fulham Rd Tel 020 7581 5817 Seg-sex 12h-14h30, 19h-23h; sáb-dom 12h30-15h, 19h-23h (22h30 dom)*
Em uma construção art déco, magnífico restaurante para experimentar um prato de frutos do mar da excelente cozinha do chef

'HE ANGLESEA ARMS

HARRODS

CATH KIDSTON

Matthew Harris. O bar de ostras do térreo tem preços mais acessíveis. Na esquina, fica a loja de decoração Conran. Prato £18,50-32,50.

Marcus (**G** E1)
→ *Wilton Place*
Tel 020 7235 1200 Seg-sáb 12h-14h30, 18h-22h30
Desde 2008, Marcus Wareing, um dos maiores chefs britânicos atuais, premiado com duas estrelas no guia Michelin, atua no ambiente chique e retrô do restaurante do Berkeley Hotel. Ingredientes de primeira qualidade para pratos sofisticados e leves. Excepcional e raro menu vegetariano. Menu £35 (almoço), 85-120.

CAFÉ, SORVETERIA

V&A Café (**G** C2)
→ *Victoria & Albert Museum, Cromwell Rd*
Tel 020 7942 2000 Diariam 10h-17h15 (21h30 sex)
Atravessando o ambiente contemporâneo do restaurante self-service, há três suntuosas salas para tomar um chá ou um lanche e apreciar a decoração histórica: grandes lareiras trabalhadas, vertiginoso pé-direito, paredes cobertas de azulejos e lustres gigantescos...

Oddono's (**G** B2)
→ *14 Bute St Tel 020 7052 0732 Nov-mar: diariam 11h-23h (24h sex-sáb); abr-out: diariam 10h-24h (1h sex-sáb)*
Sorvetes italianos de sabores incomuns, preparados com ingredientes minuciosamente selecionados e que fazem a festa dos apreciadores.

PUBS, BAR

The Anglesea Arms (**G** B3)
→ *15 Selwood Terrace*
Tel 7373 7960 Seg-sáb 11h-23h, dom 12h-22h30
O papel de parede com flores grandes é bem britânico, nesse velho pub onde os painéis de vidro e lambris criam espaços íntimos. Encantador terraço florido.

Fox and Hounds (**G** E2)
→ *29 Passmore St Tel 020 7730 6367 Diariam 12h-23h*
Para fugir das ondas fashion de Chelsea, um simpático pub de bairro, despretensioso, sem juke-box ou TV.

Bar 190 (**G** B1)
→ *Gore Hotel, 190 Queen's Gate Tel 020 7584 6601 Diariam 12h-1h30*
É comum em Londres beber um drinque nos bares de hotéis. Nesse, as paredes são revestidas de madeira de tons avermelhados e os sofás em estilo colonial convidam à descontração. Muito elegante.

COMPRAS

Harrods (**G** D1)
→ *87-135 Brompton Rd*
Tel 020 7730 1234 Seg-sáb 10h-20h, dom 11h30-18h
Para quem procura um piano, batom ou roupas, esse é o lugar ideal. Não perca as extraordinárias Food Halls, seções dedicadas a alimentos.

Harvey Nichols (**G** D1)
→ *109-125 Knightsbridge*
Tel 020 7235 5000 Seg-sáb 10h-20h, dom 11h30-18h
A loja de departamentos mais chique de Londres compete com a Harrods nas coleções de grandes grifes. Restaurantes e cafés no quinto andar.

Chelsea Farmers Market (**G** C3)
→ *125 Sydney St*
Diariam 10h-20h
Nada de frutas e legumes, e sim lojas e restaurantes orgânicos e alternativos nas cabanas de madeira coloridas. Na Here, o destaque é a alimentação biológica, enquanto na Cheeky Boo se encontram desde CDs e charutos até bombons.

Red Cross Vintage and Designer Charity Shop (**G** C3)
→ *69-71 Old Church St*
Tel 020 7376 7300
Seg-sáb 9h-18h
Os londrinos adoram comprar roupas nas *charity shops* (depósitos-lojas em prol de instituições de caridade). A da Cruz Vermelha é especializada em artigos de grandes estilistas e de designers da moda: Alexander McQueen ou Vivienne Westwood, mas também Gucci ou Prada, com preços bem razoáveis.

Cath Kidston (**G** E2)
→ *27 King's Rd*
Tel 020 7259 9847
Seg-ter, sex-sáb 10h-19h; qua 9h-17h; qui, dom 12h (11h dom)-18h
Flores, bolinhas, morangos e estrelas, os motivos de cores berrantes criados por Cath Kidston salpicam os tamancos, as galochas, as maletas de piquenique e as roupas de cama e mesa.

Brora (**G** B4)
→ *344 King's Rd*
Tel 020 7352 3697 Seg-sáb 10h-18h, dom 12h-17h
Caxemira escocesa em todos os formatos e cores: malhas, cardigãs ou gorros verdes-primavera, chocolate, ameixa...

SCIENCE MUSEUM

NATURAL HISTORY MUSEUM

▶ Mapa E

▼ Mapa A

OYAL HOSPITAL

SAATCHI GALLERY

BELGRAVE SQUARE

a Terra: dos dinossauros té o menor dos insetos; a formação dos diaman-es aos terremotos. O pátio o museu recebe um rin-ue de patinação entre os neses de outubro e janeiro.

Christie's (G B2)

→ 85 Old Brompton Rd
el 020 7930 6074
eg-sex 9h-17h (19h30 seg), áb-dom 11h-17h
casião única para conhe-er a famosa casa de lei-ões, onde é possível ad-uirir objetos com preços nais em conta.

Chelsea Physic arden (G D4)

→ 66 Royal Hospital Rd Tel 20 7352 5646 Abr-out: ter-sex, dom 11h-18h; nov-mar: seg-sex 9h30-16h
Um dos mais antigos jardins botânicos do Reino Unido, fundado em 1673 pela Sociedade dos Farmacêuticos de Londres. Cultivavam-se então as plantas por suas virtudes medicinais. Ao longo dos séculos, o recinto foi enriquecido por sementes exóticas, graças à contribuição de sir Hans Sloane. Dois encantadores hectares de verde.

★ Royal Hospital (G E3)

→ Royal Hospital Rd
Tel 020 7881 5200
Seg-sáb 10h-12h, 14h-16h
***Visita guiada** 10h, 13h30 (reserve com 1 mês de antecedência)*
O famoso Chelsea Flower Show realiza-se em maio, nos jardins dessa casa que pertence aos aposentados do exército, fundada por Carlos II no séc. XVII. Seus 400 pensionistas usam uniforme do séc. XVIII e chapéu de três pontas em ocasiões especiais. A capela e o refeitório estão abertos aos visitantes.

★ Saatchi Gallery (G E2)

→ Duke of York's HQ, King's Rd Tel 020 7811 3070
Diariam 10h-18h
Colecionador riquíssimo e polêmico, indissociável da arte contemporânea britânica, Charles Saatchi expõe os artistas que lançou, de Damien Hirst e seus animais imersos em aquários de formol a Paula Rego e suas telas de realismo mágico. Há planos para uma nova galeria.

★ Belgrave Square (G E1)

É difícil imaginar que esse local, onde se alinham embaixadas e imóveis opulentos, já foi um sítio afastado. O conjunto, perfeitamente ordenado, foi projetado por Thomas Cubitt (1788-1855) em 1824, e as brancas casas de estuque com colunatas foram logo ocupadas pela nobreza e pela elite política.

BFI SOUTHBANK

ROYAL FESTIVAL HALL

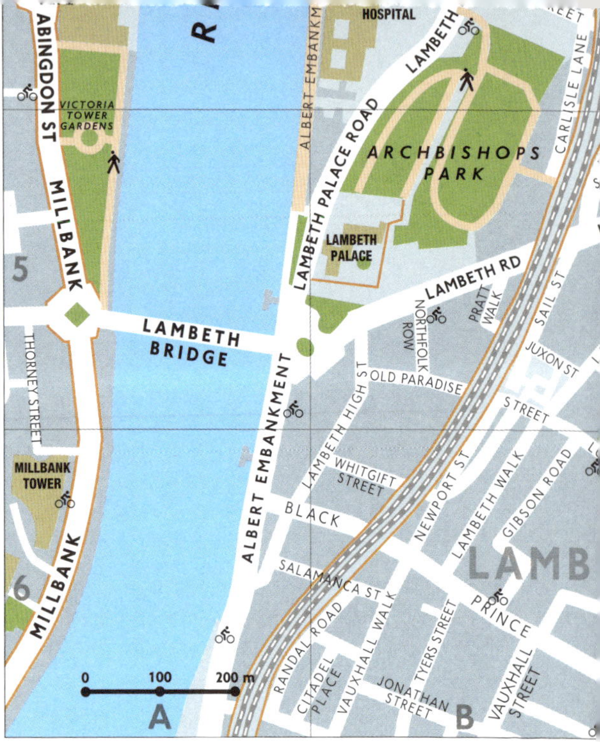

★ **Blackfriars Bridge** (**H** D1)
Debaixo dessa colorida ponte com arcos de aço rebaixados, uma série de afrescos ilustra a história dos arredores e o papel do Tâmisa. A obra atual data de 1869. Porém, desde 1769 existe uma ponte no local, apenas a terceira a cruzar o rio: até 1738, a London Bridge era a única a ligar as margens norte e sul.

★ **OXO Tower** (**H** C2)
→ *Barge House St*
Seu letreiro luminoso vermelho é uma referência no horizonte noturno da South Bank. Antiga central elétrica que se tornou, nos anos 1920, entreposto frigorífico para Liebig, dono dos famosos caldos concentrados OXO, foi reconstruída em estilo art déco e abriga hoje apartamentos, uma série de lojas de design e um bar-restaurante panorâmico.

★ **National Theatre** (**H** B2)
Tel 020 7452 3000 ***Visita guiada*** *Seg-sex 10h15, 12h15, 17h15, sáb 10h30, 12h15, dom 12h30 Duração 1h15 www.nationaltheatre.org.uk*
Embora pareça uma fortaleza, é um dos mais aclamados teatros da cidade. Projetado por Denys Lasdun em 1975, esse edifício de concreto tem três auditórios e encena de peças de vanguarda a musicais. Há visitas guiadas aos bastidores. A sala principal abriga exposições de arte contemporânea.

★ **BFI Southbank** (**H** B2)
→ *Tel 020 7928 3232* ***Midiateca*** *Ter-dom 12h (12h30 sáb-dom, 13h ter)-20h* ***Reuben Library*** *Ter-sáb 10h30-19h www.bfi.org.uk*
O British Film Institute é um templo da cinefilia. Quatro telas para filmes, retrospectivas e grandes eventos, incluindo o London Film Festival e uma midiateca onde se encontram raridades. A Reuben Library, no interior, abriga a coleção de cinema e televisão mais importante do mundo.

★ **Southbank Centre** (**H** B2)
→ *Belvedere Rd*
Tel 020 7960 4200
www.southbankcentre.co.uk
Finda a polêmica que cercou esse centro artístico desde sua criação (1951), o concreto frio e cinza se integra ao panorama da South Bank e a qualidade das performances obtém unanimidade. Como prova os visitantes chegam a tod hora do dia aos grandes es paços repletos de luz para apreciar mostras de fotos

BLACKFRIARS BRIDGE

OXO TOWER

NATIONAL THEATRE

Há poucos vestígios do passado nessa região; os pântanos foram drenados há séculos e a última guerra destruiu as fábricas e oficinas que, no séc. XIX, tinham transformado suas vilas em importantes centros industriais. Dos escombros surgiu a vontade de dotar a margem sul de elementos culturais capazes de rivalizar com os da margem norte. O South Bank Arts Centre, concluído na década de 1960, foi o primeiro edifício desse conjunto, e muitos outros foram construídos depois dele. O passeio de Queen's Walk continua do oeste para o leste, revelando os segredos da área e oferecendo belas vistas dos bairros ao norte.

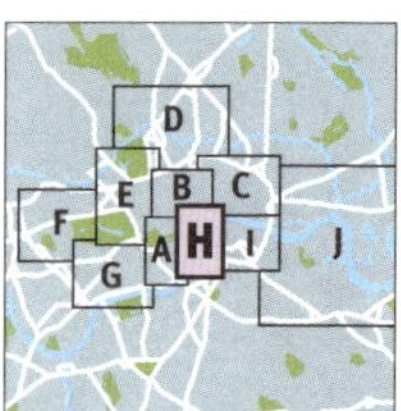

MESON DON FELIPE

BALTIC

RESTAURANTES

Meson Don Felipe (**H** D3)
→ *53 The Cut Tel 020 7928 3237 Seg-sáb 12h-23h*
Boquerones, sardinhas, tortillas... Esse bar de tapas ao som de violões é um dos melhores de Londres e sempre surpreende. Tapas e prato £4-10.

The Cut (**H** D3)
→ *Young Vic, 66 The Cut Tel 020 7928 4400 Seg-sáb 12h-23h* ***Bar*** *Seg-sex 9h-últ cliente, sáb 10h-últ cliente*
Jovem, despretensioso e inspirado, à semelhança do Young Vic Theater, onde se encontra. Bela sala contemporânea, varanda a céu aberto, pratos simples e orgânicos (fishcakes, risoto), para um brunch ou apenas um drinque, com ou sem ingresso de teatro! Prato £7-14.

Masters Super Fish (**H** D4)
→ *191 Waterloo Rd Tel 020 7928 6924 Seg-sáb 12h-15h, 16h30-22h30 (23h sex)*
Paredes de tijolos vermelhos, objetos antigos e fotos de outras épocas... Não há nada de muito atraente no ambiente desse fish and chips, mas o lugar oferece gigantescas porções. Os motoristas de táxi costumam frequentar o local. Prato £7-16.

Anchor & Hope (**H** D3)
→ *36 The Cut Tel 020 7928 9898 Seg 17h-23h; ter-sáb 12h-14h30, 18h-22h30; dom 14h-17h (com reserva)*
Sem dúvida, o melhor gastropub da margem sul! Ambiente muito aconchegante e culinária do dia com toque regional: salada de escargot e bacon, cordeiro com gratinado de batata para 2 ou 3 pessoas... Prato £13-25.

House Restaurant (**H** B2)
→ *National Theatre Tel 020 7452 3600 Seg-sáb 12h-14h30, 17h30-23h; dom 12h-14h30*
O refinado restaurante do National Theatre, de belo design. Antes ou depois do espetáculo, os frequentadores saboreiam uma culinária de brasserie perfeitamente executada: filé-mignon de porco com espinafre, linguado assado, bochecha de boi à la bourguignonne, steak tartare... Prato £14,50-21,50.

Baltic (**H** D3)
→ *74 Blackfriars Rd Tel 020 7928 1111 Diariam 12h-15h, 17h30-23h15*
As vidraças da antiga fá-

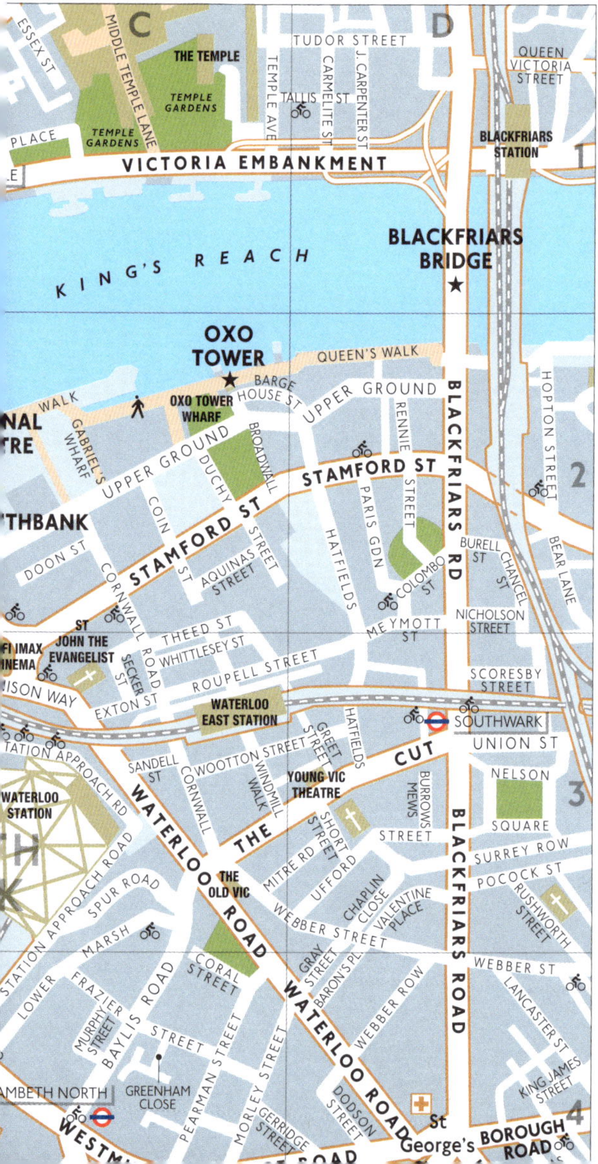

SOUTHBANK CENTRE / HAYWARD GALLERY

LONDON EYE

COUNTY HALL

▶ Mapa C

▼ Mapa I

:UBANA

THE CUT THEATRES

KONDITOR & COOK

brica de carruagens iluminam a fria sala. Para se aquecer, vodcas de diversas marcas, gravad lax, pierogi (raviólis poloneses) e estrogonofe. Shows de jazz domingo à noite. Prato £15,50-18,50.

CAFÉS, PUBS, BARES

Scooter Caffè (**H** C4)
→ *132 Lower Marsh Tel 020 7620 1421 Dom-qui 8h30-23h, sex-sáb 9h30-24h*
Em um antigo galpão para consertos de Vespas, esse local boêmio com móveis vintage serve um excelente café. Também prepara "caixas de almoço".

Fire Station (**H** C3)
→ *150 Waterloo Rd*
Tel 020 7620 2226 Seg-sáb 9h-24h (23h seg, 1h sex-sáb), dom 11h-22h30
Instalado em um antigo quartel de bombeiros, esse pub popular é bem movimentado à noite. Excelentes opções de cervejas no barril e de vinhos.

OXO Tower Restaurant (**H** C2)
→ *OXO Tower Wharf, Barge House St Tel 020 7803 3888 Seg-sáb 11h-23h (24h sex-sáb), dom 12h-22h30*
O oitavo andar da OXO Tower oferece uma fabulosa vista do Tâmisa e da City, além de coquetéis refinados. Jazz todas as noites na brasserie.

Cubana (**H** C3)
→ *48 Lower Marsh*
Tel 020 7928 8778/ 075 8287 9389
Seg-sex 12h-24h (1h qua-qui, 3h sex), sáb 13h-3h, dom 14h-23h
Bebidas e ritmos alegres em uma mixórdia de bugigangas religiosas, cadeiras de cores vivas, retratos de Che Guevara e fotografias de Cuba. Bares servem coquetéis, cerveja em garrafa, vinhos e tapas. Salsa sexta e sábado à noite.

ESPETÁCULOS

BFI IMAX (**H** C3)
→ *1 Charlie Chaplin Walk*
Tel 033 0333 7878
www.bfi.org.uk/bfi-imax
A maior tela do país!

The Cut Theatres
The Old Vic (**H** C3)
→ *The Cut*
Tel 0844 871 7628
www.oldvictheatre.com
Esse belo salão à italiana recebe montagens clássicas.

Young Vic (**H** D3)
→ *66 The Cut*
Tel 020 7922 2922
www.youngvic.org
Um dos palcos para a nova geração de dramaturgos londrinos.

COMPRAS

Konditor & Cook (**H** C3)
→ *22 Cornwall Rd*
Tel 020 7261 0456 Seg-sex 7h30-19h, sáb 8h30-18h, dom 11h-17h
Doceria artesanal a três minutos da Waterloo Station: lista infinita de doces caseiros, do simples scone ao curly whirly cake com chocolate e baunilha, passando por brownies e magic cakes coloridos.

What the Butler Wore (**H** C4)
→ *108 Lower Marsh*
Tel 020 7261 1968
Seg-sáb 11h-18h
Um pequeno brechó sob medida para fãs das décadas de 1960 e 1970. As peças à venda estão em excelentes condições. Ande mais um pouco, até o nº 87, para descolar um visual dos anos 1920-60, no Radio Days.

Gramex (**H** C4)
→ *104 Lower Marsh*
Tel 020 7401 3830
Seg-sáb 11h-19h
Nesse antro lendário de amantes de música clássica e jazz, os frequentadores conversam sentados nas poltronas grandes no fundo da loja. Vinis, CDs com desconto e ótimas dicas.

OXO Tower Design Shops (**H** C2)
→ *OXO Tower Wharf, Barge House St*
Ter-dom 11h-18h
O restaurado Oxo Tower Wharf, em estilo art déco de 1928, é uma colmeia de lojas e ateliês de designers independentes, alguns dos quais vendem no local suas criações exclusivas. Sedas tecidas à mão, roupas, porcelanas e pequenas peças de mobiliário.

Gabriel's Wharf (**H** C2)
→ *56 Upper Ground*
Faltou pouco para que esse pequeno terreno à beira do Tâmisa, assim como o resto do bairro, caísse nas mãos de uma imobiliária. Foram os moradores que lutaram para que isso não acontecesse. Lindas lojas de artesanato, cafés com terraço: o espaço vive lotado desde as primeiras horas da manhã.

Ganesha
→ *3-4 Gabriel's Wharf*
Tel 020 7928 3444
Diariam 11h30-18h30 (19h sáb-dom)
Nessa loja você encontra artesanato indiano: almofadas, túnicas, bolsas e acessórios.

SEA LIFE LONDON AQUARIUM

IMPERIAL WAR MUSEUM

de arte contemporânea, presentações musicais ratuitas realizadas ao neio-dia ou apenas para eber um pouco.

oyal Festival Hall
spaço de shows, no stilo da década de 1950, om acústica excepcional. rogramação variada música clássica, pop, azz e rock).

ueen Elizabeth Hall
ança e música clássica.

urcell Room
equena sala íntima destinada a recitais e música e câmara.

ayward Gallery
Seg, qui, sex 12h-20h (18h eg), ter-qua, sáb-dom 10h-18h
Concreto bruto para arte ultracontemporânea. Em um edifício dos anos 1960, a galeria recebe grandes exposições de pintura, escultura e fotografia.

★ **London Eye** (**H** B3)
→ *The Queen's Walk Tel 087 1781 3000 (reservas)*
Diariam 10h-21h (20h30 ou 21h30 dependendo da estação; no verão 23h30 sex)
Faça uma viagem de 40min na roda-gigante mais alta da Europa. De uma altura de 135m, é possível apreciar uma linda vista de Londres, que em dias claros alcança 40km. Reserve.

★ **County Hall** (**H** B3)
→ *Riverside Building, The Queen's Walk*
Tel 020 7981 2550
Esse imponente edifício de pedra de Portland, projetado por Ralph Knott, até 1986 foi a sede do Greater London Council (GLC). O espaço por trás de sua elegante fachada barroca eduardiana é ocupado por um aquário, restaurantes, hotéis e o novo London Dungeon (um museu do horror interativo que repassa a história inglesa).

★ **Sea Life London Aquarium** (**H** B3)
→ *Tel 0871 663 1678*
Set-meados jul: diariam 10h-19h; meados jul-ago: diariam 9h-20h
Ideal para quem quer acariciar as arraias, assistir às refeições dos tubarões e descobrir peixes de mar e de água doce de todos os climas.

★ **Imperial War Museum** (**H** C5)
→ *Lambeth Rd*
Tel 020 7416 5000
Diariam 10h-18h
Como era a vida dos civis em tempo de guerra, quando os dias eram marcados por toques de recolher, alertas aéreos e mensagens de propaganda? Objetos, documentos de época e reconstituições impressionantes. A do Holocausto é perturbadora.

THE SHARD

SOUTHWARK CATHEDRAL

SHAKESPEARE'S GLOBE EXHIBITION

★ **Tower of London** (**I** E1)
→ *Tel 0844 482 7777 Mar-out: diariam 9h (10h dom-seg)-17h30; nov-fev: diariam 9h (10h dom-seg)-16h30*
Guilherme, o Conquistador (séc. XI), mandou construir essa torre para garantir o controle do rio Tâmisa. A imensa fortaleza também serviu de prisão a personalidades como João, o Bom, Ana Bolena e Rudolf Hess. Hoje, ela perdeu seu caráter aterrorizante, mas os Yeomen Warders, em trajes Tudor, continuam de guarda. Não perca o fabuloso tesouro da Coroa, as insígnias da sagração e uma rica coleção de armas.

★ **Tower Bridge** (**I** F1)
→ *Tel 020 7403 3761 Abr-set: diariam 10h-18h; out-mar: diariam 9h30-17h30*
Assim como o Big Ben, a silhueta da Tower Bridge lembra a era vitoriana, quando a Inglaterra era uma poderosa nação marítima. Naquela época, por causa do intenso tráfego no rio Tâmisa, as pontes elevadiças eram muito necessárias. As duas torres neogóticas escondem o complexo maquinário hidráulico que levanta as duas basculantes de mil toneladas cada. Um museu retrata a história da ponte. Esplêndida vista a partir da passarela, a 42m da água e dotada de uma seção com piso de vidro.

Design Museum (**I** F2)
→ *28 Shad Thames Tel 020 7403 6933 Diariam 10h-17h45*
As exposições temporárias sobre as tendências do design destacam os objetos do cotidiano e sua evolução: telefones, cadeiras, máquinas de lavar – testemunhas das revoluções estéticas da era industrial.

★ **City Hall** (**I** E2)
→ *The Queen's Walk Tel 020 7983 4000 Seg-sex 8h30-18h (17h30 sex)*
O arquiteto Norman Foster concebeu, para abrigar a nova sede da Greater London Authority e de seus órgãos (London Assembly e Mayor of London), um surpreendente prédio em forma de bulbo inclinado (2002). Dentro, uma rampa helicoidal rodeia a sala dos debates.

★ **HMS Belfast** (**I** D1)
→ *The Queen's Walk Tel 020 7940 6300 Mar-out: diariam 10h-18h; nov-fev: diariam 10h-17h*
Descubra a vida dos marinheiros a bordo desse navio de guerra, utilizado de 1938 até o fim da Guerra da Coreia, em 1953.

★ **The Shard** (**I** D2)
→ *32 London Bridge St Tel 0844 499 7111 Abr-out:*

TOWER OF LONDON

TOWER BRIDGE

DESIGN MUSEUM

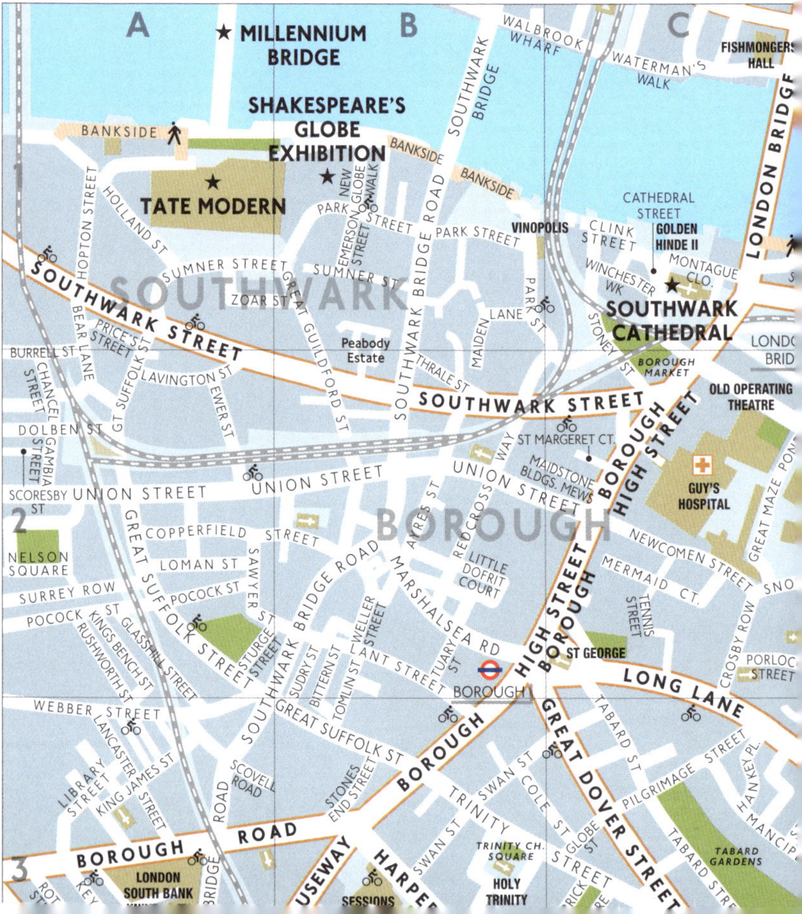

Parente pobre de Londres, Southwark abrigava bordéis, tabernas e teatros mal frequentados. O comércio marítimo lhe trouxe um período de prosperidade, mas o fechamento das docas em 1970 condenou-o novamente ao ostracismo. Atualmente, construções e reformas estão em andamento, desde a Tate Modern até o Design Museum, passando pelo The Shard (o edifício mais alto do país), o que contribui para a renovação do bairro. Ao longo do rio Tâmisa se estende The Queen's Walk, um lindo passeio que liga a Tower Bridge à London Eye. Embora uma população bem-sucedida tenha se estabelecido no local, o sul continua bem popular.

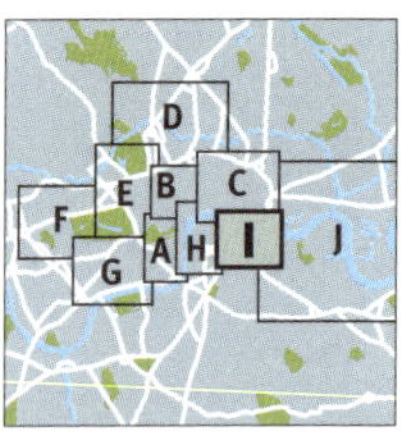

M. MANZE

EL VERGEL

RESTAURANTES

M. Manze (**I** D3)
→ *87 Tower Bridge Rd Tel 020 7407 2985 Seg-qui 10h30 (11h seg)-14h, sex-sáb 10h-14h30 (14h45 sáb)*
Aprecie a eel pie and mash (torta de enguia com purê), agora mais rara, típica da tradição culinária londrina. Leve para viagem ou coma no restaurante, tipo cantina.
A partir de £2,50-6.

El Vergel (**I** A3)
→ *132 Webber St*
Tel 020 7401 2308 Seg-sex 8h-15h, sáb-dom 10h-16h
Serve saladas e sanduíches mexicanos gostosos em um salão íntimo e rústico. Especialidade: torta mexicana sandwich (recheio de guacamole, frango e feijão). £3,50-9,95.

Maltby Street Market (**I** E3)
→ *Maltby St Sáb-dom 9h (11h dom)-16h*
Mais secreto e mais hype que o Borough Market (**I** C2), esse mercado se agita no fim de semana graças às barracas de comida de rua: hambúrguer, crepe, cuscuz, falafel...
A partir de £5.

Mar i Terra (**I** A2)
→ *14 Gambia St Tel 020 7928 7628 Seg-sex 12h-15h, 18h-22h30; sáb 18h-23h*
Um canto da Espanha cujo chef, de La Coruña, prepara clássicos de seu país: almôndegas de carne ao molho de tomate, feijão frito com presunto, chouriço com cidra das Astúrias.
Tapa em torno de £6-9.

Tas Pide (**I** B1)
→ *20-22 New Globe Walk Tel 020 7928 3300 Diariam 12h-23h30 (22h30 dom)*
Do forno redondo tradicional da Anatólia jorram pães e pides, barquinhas de massa de pizza com coberturas generosas: cebolas, tomates, ovos, sardinhas, azeitonas e outras delícias do Mediterrâneo. Ambiente sociável e música no jantar.
Menu £7,30-14.

Fish! (**I** C1)
→ *Cathedral St*
Tel 020 7407 3803 Seg-sáb 11h30 (11h sex)-23h, dom 10h-22h30
Sua estrutura de aço e vidro lembra um aquário. Os deliciosos pratos dependem do fornecimento de peixe. Prato £12-30.

Tanner & Co (**I** D2)
→ *50 Bermondsey St*
Tel 020 7357 0244
Seg-qui 12h-17h, sex 12h-15h, 19h-22h
Em um salão claro e arejado é servida uma seleção de pratos e nibbles (petiscos): patê de fígado de frango

GLADSTONE ARMS

BOROUGH MARKET

BERMONDSEY SQUARE MARKET

com geleia de vinho Madeira, ragu de coelho, black pudding, tortas etc. Prato £12,50-15,55.

CAFÉ, BAR DE VINHOS

Maria's Market Café (I C2)
→ *Borough Market, Stoney St Qua-sáb 5h-14h30 (16h qui-sex, 17h sáb)*
Saudade de um desjejum inglês? Venha a esse conhecido "greasy spoon breakfast" (algo como "café da manhã com colher engordurada"), que recebe trabalhadores ao amanhecer.

Wine Wharf (I C1)
→ *Stoney St Tel 020 7940 8335 Seg-sáb 12h-15h, 18h-23h*
Sob as abóbadas altas, um bar com uma lista de 300 vinhos antigos vendidos por taça. Também serve tapas.

PUBS, CASA NOTURNA

The Anchor (I B1)
→ *4 Park St, Bankside Tel 020 7407 1577 Seg-sáb 11h-23h, dom 12h-22h30*
Construído em 1676, esse velho pub de fachada esmerada passou por reforma recente. Grande terraço com mesas de madeira para tomar uma bebida ao ar livre à beira do Tâmisa.

George Inn (I C2)
→ *75-77 Borough High St Tel 020 7407 2056 Diariam 11h-23h*
Esse pub fica numa antiga hospedaria (1677). Sua galeria dupla, uma das últimas de Londres, dá para um belo pátio calçado de pedras. Os quartos do primeiro andar agora abrigam o salão do restaurante; no térreo, várias salas pequenas só se ligam pela parte externa. Sirva-se ou peça sua cerveja.

Gladstone Arms (I B2)
→ *64 Lant St Tel 020 7407 3962 Seg-qui 12h-23h, sex-dom 13h-24h (22h30 dom)*
Esse atípico e descontraído pub de bairro ocupa uma casa de dois andares. No térreo, bar com shows e apresentações de DJs; no primeiro andar, aconchegante ambiente para conversas tranquilas e jogos de salão. Cervejas, sidras e tortas.

Ministry of Sound (I A3)
→ *103 Gaunt St Tel 020 7740 8600 Sex 22h30-6h, sáb 23h-7h www.ministryofsound.com*
Mais que um clube, é um som, uma marca. Com garage, house ou r'n'b, os DJs do MoS atraem os clubbers do mundo todo num dos três andares com pista de dança.

GALERIA DE ARTE

WhiteCube (I D3)
→ *144-152 Bermondsey St Tel 020 7930 53 73 Ter-dom 10h (12h dom)-18h*
Em um arejado armazém dos anos 1970, com 5.440m², a terceira galeria de Jay Jopling constitui um ponto de encontro dos principais artistas da criação contemporânea inglesa (Damien Hirst, Tracey Emin...) e internacional (Liza Lou, Zhang Huan...).

COMPRAS

Borough Market (I C2)
→ *8 Southwark St Tel 020 7407 1002 Seg-ter 10h-17h (somente os restaurantes), qua-qui 10h-17h, sex 10h-18h, sáb 8h-17h*
O mais antigo mercado de alimentos de Londres (1756), sob as vias férreas, atrás da Southwark Cathedral. As bancas de especiarias e produtos frescos atraem chefs midiáticos. Na hora do almoço, há deliciosas tortas, grelhados e bagels.

Neal's Yard Dairy (I B1)
→ *6 Park St Tel 020 7367 0799 Seg-sáb 9h-18h*
As pilhas até o teto de farmhouse cheese, a especialidade desse queijeiro, dão a impressão de que vão cair sobre os clientes.

Hay's Galleria (I D1)
→ *Hay's Wharf Counter St*
Entre os antigos armazéns de tijolos vermelhos e pedras claras, local de venda de manteiga e temperos (séc. XIX), surge uma frágil estrutura de aço com cúpula de vidro e pé-direito de até 30m que abriga uma galeria de cafés, restaurantes e lojas.

Le Pont de la Tour Foodstore (I F2)
→ *36D Shad Thames, Butlers Wharf Tel 020 7940 1830 Seg-sex 7h30-20h, sáb-dom 9h-18h*
Essa mercearia fina oferece delícias britânicas e mediterrâneas. Saborosos sanduíches para compor um piquenique.

Bermondsey Square Market (I E3)
→ *Bermondsey Square Sex 4h-13h, sáb 10h-14h*
Todas as sextas, quando as bancas de antiguidades invadem essa pracinha, desde cedo circulam profissionais em busca de bons negócios! Aos sábados, o lugar é tomado pelos produtos frescos de fazendas do país.

CITY HALL

HMS BELFAST

▶ Mapa D

▼ Mapa J

ATE MODERN

MILLENNIUM BRIDGE

iariam 10h-22h; nov-mar: iariam 10h-19h (22h qui-sáb) ascinante "espinho" de idro de 310m de altura, Shard é o mais recente rranha-céu londrino. ssinado por Renzo Piano 2012), redefiniu a linha o horizonte na cidade. o 72º andar, a 244m, em-se uma vista 360° e a impressão de estar uspenso nos ares.

Southwark athedral (**I** C1)
→ *London Bridge el 020 7367 6700 Diariam h (8h30 sáb-dom)-18h*
losaicos romanos, fachaa normanda, coro gótico... iversas vezes reedificada, a catedral narra 2 mil anos de história, que chegam até as restaurações da virada do terceiro milênio. Do alto de suas torres, Hollar pintou sua famosa *Long View of London*, em 1647.

★ **Shakespeare's Globe Exhibition** (**I** B1)
→ *21 New Globe Walk Tel 020 7902 1400* ***Exposição e visitas guiadas*** *Nov-jan: diariam 10h-17h; fev-mar, out: diariam 9h-15h; abr-set: diariam 9h-12h (15h seg) www.shakespearesglobe.com*
Não deixe de visitar o mítico teatro de Shakespeare, o Globe (1599), e seu museu, que mostra o processo de reconstrução do edifício comandado pelo ator e diretor Sam Wanamaker (1919-1993). Foram dez anos de obras, usando materiais e técnicas do séc. XVII.

★ **Tate Modern** (**I** A1)
→ *Bankside Tel 020 7887 8888 Diariam 10h-18h (22h sex-sáb)*
Essa obra grandiosa dos arquitetos Herzog e de Meuron finalmente deu a Londres um museu de arte moderna internacional. Destituída das caldeiras e das turbinas, a gigantesca central elétrica de Bankside deu lugar às galerias de exposição temática, com obras de destaque, das ninfeias de Monet aos trípticos de Bacon. No centro, a sala das turbinas (Turbine Hall), com 35m de altura, acomoda as exposições temporárias. No sexto andar, há um restaurante com ampla vista da cidade.

★ **Millennium Bridge** (**I** A1)
→ *Em frente à Tate Modern*
Essa passarela (2000) para pedestres de 325m concebida por Norman Foster, à semelhança de uma leve fita de aço suspensa, liga a Tate Modern à City. Linda vista para a Catedral de St Paul e para as margens do Tâmisa.

OLD ROYAL NAVAL COLLEGE

THE QUEEN'S HOUSE

NATIONAL MARITIME MUSEUM

★ Whitechapel Art Gallery (J A2)
→ *77-82 Whitechapel High St Tel 020 7522 7888 Ter-dom 11h-18h (21h qui)*
Criada em 1901, essa galeria teve papel fundamental na promoção da arte moderna e contemporânea. Exposições e retrospectivas de artistas como Picasso, Pollock, Rothko, Kahlo e Penone.

★ V&A Museum of Childhood (J B1)
→ *Cambridge Heath Rd Tel 020 8983 5200 Diariam 10h-17h45*
Um museu bagunçado dedicado à infância: cavalinhos que balançam, aviões com hélice e casas de boneca do séc. XVII ao XXI.

★ Museum of London Docklands (J D2)
→ *Nº 1 Warehouse West India Quay Tel 020 7001 9844 Diariam 10h-18h*
Em um antigo armazém do séc. XVIII, a história do porto de Londres, porta de entrada para o resto do país. Vestígios romanos e vikings, maquetes de caravelas, exposições sobre a escravidão, reconstituição de vielas vitorianas com sons "de época" e instalações sobre as Olimpíadas de 2012.

★ Canary Wharf (J D2)
No final dos anos 1980, com o declínio da atividade portuária, os bancos, em pleno desenvolvimento, apossaram-se desse bairro abandonado. A continuação da Jubilee Line em 1993 contribuiu para o surgimento da nova City: um labirinto de ruas ao pé de arranha-céus e galerias subterrâneas, invadidos pelos engravatados. À saída da estação de metrô projetada por Norman Foster (1999) está o One Canada Square (1991), torre de 235m de Cesar Pelli, de aço inoxidável e magnífica ao sol.

★ Cutty Sark (J D4)
→ *King William Walk Tel 020 8858 4422 Diariam 10h-17h*
Um dos últimos clíperes (1869) da rota dos chás ainda sobrevive: pode-se andar pela ponte, conhecer o porão e admirar, por baixo, o casco restaurado.

★ Old Royal Naval College (J E4)
→ *2 Cutty Sark Gardens Tel 020 8269 4747 Diariam 10h-17h*
Quatro edifícios imponentes formam a antiga escola naval (que foi inicialmente um retiro para marinheiros da armada real). Os dois do sul apresentam um puro exemplo do Barroco segundo Wren. Na ala oeste esconde-se o admirável Painted Hall, coberto de motivos em trompe-l'oeil de Thornhill. A leste, a

WHITECHAPEL ART GALLERY

V&A MUSEUM OF CHILDHOOD

MUSEUM OF LONDON DOCKLANDS

Em ambas as margens do rio Tâmisa desperta um East End com um futuro promissor. Ao sul, levados pelo sucesso do Canary Wharf, enclave de prédios futuristas, estendem-se os antigos estaleiros – sequência de construções em reforma. Da Isle of Dogs, que abrigava os canis de Henrique VIII, pode-se cruzar o Tâmisa a pé rumo a Greenwich e seu parque. Ao norte, no popular e cosmopolita bairro de Spitalfields, lojas com a última tendência da moda e bares noturnos se alternam com os restaurantes indianos de Brick Lane, no coração de “Banglatown”.

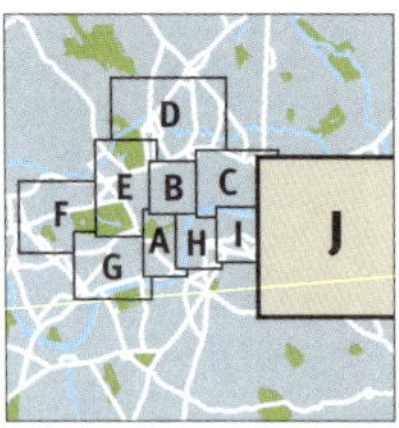

RIVINGTON GRILL GREENWICH

BRAWN

RESTAURANTES

Tayyabs (J B1)
→ 83-89 Fieldgate St
Tel 020 7247 9543
Diariam 12h-23h30
Fundada em 1972, essa é uma das melhores e mais antigas casas de curry de Londres. Fica em dois andares e costuma lotar rapidamente durante a semana. Reserve. Especialidade da casa: costeletas de cordeiro grelhadas. Prato £6-13.

E. Pellicci (J B1)
→ 332 Bethnal Green Rd
Tel 020 7739 4873
Seg-sáb 7h-16h
Um sucesso nesse bairro operário, há três gerações aos cuidados de uma jovial família italiana. Comida caseira caprichada, servida em uma pequena sala de lambris de madeira em que é costume compartilhar a mesa: full English breakfast, massas, filé com fritas. Prato £7-8,50.

Rivington Grill Greenwich (J D4)
→ 178 Greenwich High Rd
Tel 020 8293 9270 Diariam 12h-22h (23h sex-sáb)
Creme de alcachofra-de--jerusalém, shepherd's pie, hambúrgueres... mas sobretudo uma incrível carta de gins! Prato £10-16.

Brawn (J A1)
→ 49 Columbia Rd
Tel 020 7729 5692
Seg 18h-23h; qua-sáb 12h-15h, 18h-23h; dom 12h-16h
O charme impera nesse bistrô de bairro: paredes caiadas, mobílias gastas, grandes vidraças e um menu regional de estação com ingredientes próprios. Prato £10-19; menu (domingo) £28.

The Gun (J E2)
→ 27 Coldharbour
Tel 020 7515 5222
Seg-sáb 12h-15h (16h sáb), 18h-22h30; dom 12h-16h, 18h30-21h30
Esse antigo pub com um panorama surreal dos estaleiros fica em uma das vielas preservadas da Isle of Dogs. Cozinha tradicional. Terraço. Prato £14,50-32.

Café Spice Namasté (J A2)
→ 16 Prescot St
Tel 020 7488 9242
Seg-sex 12h-15h, 18h15-22h30; sáb 18h30-22h30
Fantasia neorromana do séc. XIX, redecorada à moda de Bollywood. Tandoori e especialidades de Goa, como o dhaansaak (curry de cordeiro e lentilha) e curry de crustáceos com coco. Prato £15-20.

93 FEET EAST

COLUMBIA FLOWER MARKET

MUDCHUTE CITY FARM

CAFÉS, PUBS

Pavilion Tea House (J E4)
→ *Greenwich Park, Blackheath Ave Tel 020 8858 9695 Diariam 9h-16h (18h verão)*
Após uma subida até o observatório, uma pequena construção octogonal onde se aprecia a alta gastronomia... de preferência no terraço.

The Mayflower (J B2)
→ *117 Rotherhithe St Tel 020 7237 4088 Diariam 11h-23h (22h30 dom)*
No antigo vilarejo de Rotherhithe, o mais antigo pub em funcionamento às margens do Tâmisa (1621), com móveis obviamente antigos! Terraço.

Dickens Inn (J A2)
→ *St Katharines Way Tel 020 7488 2208 Seg-sáb 11h-23h, dom 12h-22h30*
Uma taberna lotada, mas a fantástica vista dos estaleiros e da Tower Bridge compensa.

Greenwich Union (J D4)
→ *56 Royal Hill Tel 020 8692 6258 Seg-sáb 12h (11h sáb)-23h, dom 11h30-22h30*
Bar em uma casa cercada de verde, prolongado por um corredor com árvores. Música ambiente e cervejas especiais do mundo todo.

BARES, CASAS NOTURNAS, SHOWS

93 Feet East (J A1)
→ *150 Brick Lane Tel 020 7770 6006 Seg-sáb 17h-23h (1h sex-sáb), dom 15h-22h30*
Antiga cervejaria, oferece um começo de noite bastante musical. No bar com paredes cobertas de grafites, um DJ toca som eletrônico. Shows de rock de qualidade.

Rhythm Factory (J B1)
→ *16-18 Whitechapel Rd Tel 020 7375 3774 Ter-qui 20h-3h, sex-sáb 22h-6h www.rhythmfactory.co.uk*
É preciso ter o visual certo para vir a esse bar e clube com pouca luz e decoração estilosa, onde se cultua o som underground: rock alternativo, jungle, dub, punk, ska, hip-hop ou world music.

Bethnal Green Working Men's Club (J B1)
→ *42-46 Pollard Row Tel 020 7739 7170 www.workersplaytime.net*
Criado em 1953 para as pessoas relaxarem depois do trabalho, esse clube não mudou nada desde 1971! Atendentes sempre simpáticas usando perucas e pistolas d'água, shows e uma decoração engraçadíssima!

COMPRAS

Billingsgate Market (J D2)
→ *Trafalgar Way Tel 020 7987 1118 Ter-sáb 4h-9h30 (chegue antes das 8h)*
Ao lado do Business District, o grande mercado de peixes da cidade merece ser visitado de manhã cedo!

Cheshire Street (J A1)
Rua com brechós e lojas de artigos de arte.

The Shop
→ *3 Cheshire St Tel 020 7739 5631 Seg-sáb 11h-18h, dom 9h30-17h*
Tecidos vintage. Chapéus, lenços, toalhas de mesa...

Cock & Bull & Co
→ *30 Cheshire Street Tel 020 7729 5068 Qua-dom 11h-18h (17h dom)*
Roupas masculinas totalmente manufaturadas no Reino Unido com tecidos e fios sustentáveis. Lã das ilhas Shetland, cânhamo, algodão para boinas irresistíveis, casacos, camisetas...

Labour and Wait (J A1)
→ *85 Redchurch St Tel 020 7729 6253 Ter-dom 11h-18h*
Objetos cotidianos atemporais para o lar e o jardim, da Inglaterra e de outros lugares. Nessa loja, a compra mais simples se torna um prazer!

The Laden Showroom (J A1)
→ *103 Brick Lane Tel 020 7247 2431 Seg-sáb 11h-18h30 (19h sáb), dom 10h30-18h*
Loja de criações próprias com preços razoáveis: roupas e acesssórios femininos.

Son of a Stag (J A1)
→ *Old Truman Brewery, 91 Brick Lane, 9 Dray Walk Tel 020 7247 3333 Seg-sáb 10h30-19h (19h30 qua, sex; 20h qui), dom 11h15-18h*
As mais inusitadas marcas de calças jeans (sobretudo japonesas) e alguns calçados masculinos.

Columbia Road Flower Market (J A1)
→ *Dom 8h-15h*
Rodeado de belos cafés e de irresistíveis lojas, um mercado de flores altamente colorido.

ECOTURISMO

Mudchute City Farm (J E3)
→ *Pier St Isle of Dogs Tel 020 7515 5901 Diariam 9h-17h* ***Parque*** *Diariam 24h*
Em um parque criado sobre um antigo pântano, uma fazenda cooperativa: galinhas, carneiros, vacas, cabras. É espetacular ver animais pastando tendo arranha-céus ao fundo!

CANARY WHARF

CUTTY SARK

CONEXÕES DE AEROPORTOS

Heathrow
Piccadilly Line (metrô)
→ *£5,80, 35min*
Heathrow Express
→ *£20, 15min até a Paddington Station* (**F** F1)
Gatwick
Gatwick Express
→ *£19,90, 30min até a Victoria Station* (**A** A4)
EasyBus
→ *£1,95-9,95, 1h até a Waterloo Station* (**H** B3)
Stansted
Stansted Express
→ *£23,40, 45min até a Liverpool St Station* (**C** E3)
EasyBus
→ *£3,99-9,99, 1h25 até o metrô Baker St* (**E** B3)

ÔNIBUS PANORÂMICO

SÍMBOLO DO METRÔ

SANTANDER CYCLES

cozinha coletiva. Outro endereço (Clink261) próximo.
Marble Arch Inn (**E** B4)
→ *49-50 Upper Berkeley St Tel 020 7723 7888 www.marblearch-inn.co.uk*
Um dos hotéis mais baratos da cidade, perto do Hyde Park. Quartos de solteiro confortáveis. Não tem café da manhã. £50 (sem banheiro)-80. Reservas pela internet.
Lancaster Hall Hotel (**F** E2)
→ *35 Craven Terrace Tel 020 7723 9276 www.lancaster-hall-hotel.co.uk*
Principalmente por sua Youth Wing: 22 quartos baratos, mobiliados de forma simples, com banheiros compartilhados. £57.
Oakley Hotel (**G** C4)
→ *73 Oakley St Tel 020 7352 5599 www.oakleyhotel.com*
B&B com treze quartos e camas com dossel, bem situado nas proximidades da King's Rd. £65 (sem banheiro)-95.

£70-100

Cherry Court Hotel (**A** A5)
→ *23 Hugh St Tel 020 7828 2840 www.cherrycourthotel.co.uk*
B&B familiar. Doze quartos minúsculos, mas bem decorados e com banheiro privativo. Café da manhã básico (biscoitos, frutas e bebidas) nos quartos. £70.
Jesmond Dene Hotel (**D** C3)
→ *27 Argyle St Tel 020 7837 4654 www.jesmonddene hotel.co.uk*
Pequenos e limpos, os vinte quartos desse B&B bem em frente à Estação St Pancras são sempre reformados pelos cuidadosos donos. £70-130. Há apartamentos que abrigam até seis pessoas, perfeitos para famílias, a partir de £160.
The Hoxton Hotel (**C** E1)
→ *81 Great Eastern St Tel 020 7550 1000 www.thehoxton.com*
Bem perto da estação de Shoreditch, um hotel parecido com o bairro, descontraído e da moda. Tem 208 quartos claros e contemporâneos. Serviço prestativo com requintes como café da manhã no quarto e 1h de ligações telefônicas gratuitas. O sistema de reservas com bastante antecedência permite se beneficiar de ótimos preços. £70 (com meses de antecedência)-300.
Merlyn Court (**G** A2)
→ *2 Barkston Gardens Tel 020 7370 1640 www.merlyncourthotel.com*
Móveis antigos e colchas bem inglesas nesse B&B com quartos modernos e neutros. Fica em frente a uma praça, à qual os hóspedes têm acesso. £75 (sem banheiro)-100.
Portobello Gold (**F** B2)
→ *95-97 Portobello Rd*

PELO CANAL

Eurostar
→ *Tel 034 3218 6186 www.eurostar.com*
Sai da Gare du Nord de Paris, de Lille e de Calais para Londres, através do túnel sob o canal da Mancha. Chegada na estação e no metrô St. Pancras International (**D** D3).
Navette Eurotunnel
Calais-Folkestone
→ *Até quatro partidas/h, 24h (embarque 25min, travessia 35min)*
Para atravessar o túnel de trem com seu carro. Chegada em Folkestone (a 120km de Londres).
Acesso ao terminal de embarque
→ *Da França: rodovia A16, saída 42 "Tunnel sous la Manche"*
Informações e reservas
→ *www.eurotunnel.com*
Barcos
Balsas levam passageiros e veículos. Tarifas ida e volta de acordo com o período de permanência no local.
Norfolkline
→ *www.norfolkline.fr Trajeto 2h10*
De Dunquerque a Dover.

BICICLETAS

Santander Cycles
→ *Tel 0343 222 6666 www.tfl.gov.uk*
Vasta rede de estações, mencionadas nos mapas deste guia por um símbolo de bicicleta.
Tarifas
→ *Acesso £2/24h ou £10/7 dias (grátis 30min, £2 por mais 30min) Aceita cartão de crédito*

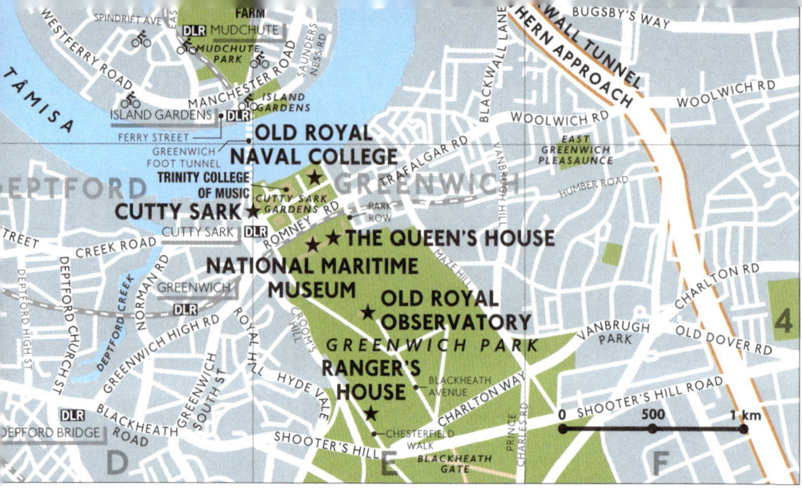

OLD ROYAL OBSERVATORY

RANGER'S HOUSE

apela de St Peter e St Paul xibe decoração pastel 1781) de James Stuart, o Ateniense". O Discover reenwich Visitor Centre presenta a história de reenwich e exposições.

The Queen's ouse (J E4)
→ *Romney Rd Tel 020 8858 422 Diariam 10h-17h*
rimeiro edifício clássico a Inglaterra, essa mansão o estilo de Palladio romeu a profusão elisabeta-a: é um paralelepípedo ranco balaustrado com scada em forma de ferra-ura. Dentro, retratos da aleza, uma paisagem e Greenwich pintada por Canaletto (1697-1768) e um magnífico pavimento preto e branco no Great Hall.

★ **National Maritime Museum** (J E4)
→ *Park Row Tel 020 8858 4422 Diariam 10h-17h*
Apaixonante museu da Marinha, distribuído em torno de um pátio com teto de vidro. Redescobre-se a conquista do império colonial, as expedições pioneiras ao Polo Norte, o manejo de uma embarcação e o desencadeamento de um tsunami. Destaque: o casaco que o almirante Nelson usava quando foi morto em Trafalgar (com a marca da bala).

★ **Old Royal Observatory** (J E4)
→ *Greenwich Park, Blackheath Ave Tel 020 8858 4422 Diariam 10h-17h*
Planetarium *Tel 020 8312 6608 Seg-sex 10h-16h*
Esse observatório no parque de Greenwich foi construído em 1675 a pedido de Carlos II, que queria melhorar as condições para a navegação no Tâmisa. No primeiro andar de Flamsteed House há uma sala octogonal assinada por Wren; no Meridian Building, diversos instrumentos de astronomia e um telescópio de refração de 71m; no planetário, shows sobre o nascimento e a vida das estrelas. Um carril no pátio norte marca a linha do meridiano de Greenwich.

★ **Ranger's House** (J E4)
→ *Chesterfield Walk Tel 020 8853 0035*
Visita guiada com hora marcada Abr-out: dom-qua 11h e 14h Os horários variam bastante (consulte o site ou entre em contato com a OT)
Uma residência georgiana (1723) para as coleções do rei do diamante Julius Wernher (1850-1912). Marfins, joias, bronzes, porcelanas, da Idade Média ao séc. XVIII, quadros de Filippo Lippi, Memling e Hooch (sécs. XV-XVII).

O melhor de Londres

Dez ideias para conhecer a capital de um jeito diferente

Passear no Queen's Walk
A melhor maneira de conhecer o Tâmisa a pé é percorrer o Queen's Walk, trajeto projetado nos cais entre South Bank (**H**) e Southwark (**I**). A margem direita, antes depreciada, hoje abriga prestigiosas instituições culturais e oferece ao fundo vista para o romântico London Eye (**H** B3). Se quiser passear pelo rio, pegue o barco que vai de Westminster (**A**) a Greenwich (**J**).

Passear no Borough Market (**I** C2)
Mercado favorito dos gourmets, uma instituição mais do que bicentenária que fornece aos grandes restaurantes. Protegidos pelos toldos das barracas, os fregueses enchem os cestos de produtos frescos e artesanais, colhem receitas e as degustam no local – por exemplo uma linguiça de Cumberland, grelhada por um salsicheiro.
→ *Chegue cedo, para evitar o movimento do fim da manhã*

Usar roupas vintage
Em termos de moda, o londrino é ousado, e gosta de usar roupas de segunda mão de grandes marcas. Há muitos mercados de pulgas, liquidações e lojas vintage, mas as melhores oportunidades estão nas charity shops: nas associações humanitárias, artigos quase novos são vendidos por uma ninharia. Daria para atravessar o Atlântico só para ir a algumas delas, verdadeiras butiques de alta-costura.
→ *Red Cross Vintage and Designer Charity Shop* (**G** C3)

Descansar no parque
Para ficar perto da natureza, não precisa ir longe: os parques urbanos parecem verdadeiros sítios. Gramados a perder de vista, recantos arborizados e lagos sem fim convidam a lagartear em uma cadeira de praia ou a fazer exercício: corrida, bicicleta, pedalinho, canoa, tênis, golfe... Cuidado para não ser surpreendido pela chuva!
→ *Faça um jogging pelo Hyde Park* (**E** B6)*; entre mai e set, fique de olho no programa do Open Air Theatre do Regent's Park* (**E** C1)

Tomar um chá da tarde
O "afternoon tea", ritual vitoriano, pode alcançar o maior refinamento. Alguns hotéis ou salões de chá, retrô ou hype, servem segundo as regras da arte: porcelana fina, chá de primeira qualidade, scones com creme e sanduíches de pepino. O traje é formal nos lugares elegantes.
→ *The Ritz* (**A** A1), *The Orangery* (**F** D3)

HYDE PARK

COMIDA INDIANA

ÔNIBUS PANORÂMICO

PUB

Transportes e hospedagem

AEROPORTOS

Informações
Heathrow e Gatwick são os maiores dos cinco aeroportos de Londres.
Heathrow
→ *Tel 0844 335 1801*
www.heathrowairport.com
Gatwick
→ *Tel 0844 892 0322*
www.gatwickairport.com
City Airport
→ *Tel 020 7646 0088*
www.londoncity airport.com
Stansted
→ *Tel 0844 335 1803*
www.stanstedairport.com
Luton
→ *Tel 0158 240 5100*
www.london-luton.co.uk

AEROPORTOS

Pelo preço que cobram, os hotéis de Londres são menos confortáveis do que os da maioria das capitais europeias. Alguns, sobretudo os mais baratos, podem até parecer descuidados e decadentes. Ainda assim, há muitas opções de hospedagem. A seleção a seguir está classificada por tipo e preço. Os preços são para um quarto de casal com banheiro, impostos e café da manhã incluídos, na meia estação – as exceções estão indicadas. Reserve on-line para aproveitar descontos e promoções. A maioria dos hotéis tem conexão Wi-Fi.

APARTAMENTOS

One Fine Stay
→ *Tel 020 3588 0600*
www.onefinestay.com
Ampla escolha de ótimos apartamentos, bem localizados, decorados com bom gosto e equipados com aparelhos de última geração. A partir de £160.

BED & BREAKFAST

The Bed & Breakfast Club
→ *www.thebedandbreakfast-club.co.uk*
Uma relação de trinta B&Bs, em edifícios belos e confortáveis; em bairros centrais ou mais residenciais. Ao redor de £100 por quarto duplo com banheiro. Café da manhã incluído.

ALBERGUES DA JUVENTUDE

London YHA
→ *www.yha.org.uk*
Os albergues da rede YHA. Taxa de adesão obrigatória (£20; menores de 26 anos, £10), no local ou on-line antes de viajar. Dormitórios a partir de £15-19; preços variáveis, de acordo com a época do ano.
London St. Pauls (**C** B3)
→ *36 Carter Lane*
Tel 0845 371 9012
London St. Pancras (**D** C3)
→ *79-81 Euston Rd*
Tel 0845 371 9344
London Thameside (**J** C2)
→ *20 Salter Rd*
Tel 0845 371 9756
London Oxford Street (**B** B3)
→ *14 Noel Street*
Tel 0845 371 9133
Quartos com 2 a 4 camas. £25/pessoa.
London Earl's Court (**G** A3)
→ *38 Bolton Gardens*
Tel 0845 371 9114
London Central (**E** D3)
→ *104 Bolsover St*
Tel 0845 371 9154

MENOS DE £70

Smart Camden Inn (**D** C3)
→ *55-57 Bayham St Tel 020 020 7388 8900 www.smart candeninn-london.com*
Ponto de boêmios e de mochileiros, esse albergue é muito bem equipado e oferece 106 leitos em dormitórios para 4 a 14 pessoas. £12-21/pessoa.
Generator (**D** D4)
→ *37 Tavistock Place*
Tel 020 7388 7666
www.generatorhostels.com
Albergue particular numa antiga delegacia, com decoração ultramoderna. Cinema e bar com DJ à noite. Quartos de solteiro a partir de £24,50 (banheiro compartilhado), dormitórios com 6 a 12 camas, a partir de £12/pessoa.
Clink78 (**D** E4)
→ *78 King's Cross Rd*
Tel 020 7183 9400
www.clinkhostels.com
Bem central, ocupa um palácio da justiça da época vitoriana: dormitórios de 4 a 16 leitos (a partir de £12), sete celas de prisão para 1-2 pessoas (a partir de £50), quartos duplos ou triplos com ou sem banheiro (a partir de £40), salas de TV,

TRENS DE LONDRES

Vicarage Hotel (**F** D3)
→ *10 Vicarage Gate Tel 020 7229 4030 www.londonvicaragehotel.com*
Esse B&B ocupa uma bela casa vitoriana no coração do bairro de Kensington. Enormes espelhos e móveis de madeira escura. £115-140.

Harlingford (**D** D4)
→ *61-63 Cartwright Gardens Tel 020 7387 1551 www.harlingfordhotel.com*
Em uma casa georgiana modernizada, quarenta quartos com móveis de madeira clara e preço em conta. Lindo salão para o café da manhã. £120-130.

The Mad Hatter (**H** D2)
→ *3-7 Stamford St Tel 020 7401 9222 www.madhatterhotel.com*
Trinta quartos agradáveis, decorados com gravuras campestres, acima de um pub. Apesar das janelas duplas, ouve-se o barulho da rua. £150-230.

Boundary (**C** E1)
→ *2-4 Boundary St Tel 020 7729 1051 www.theboundary.co.uk*
Decorado por Terence Conran, um hotel-butique bem claro e dedicado à arquitetura moderna, na área artística do East End. Le Corbusier, Mies Van der Rohe ou a Bauhaus inspiraram cada quarto. No telhado, o terraço oferece uma vista de 360° sobre a Londres do séc. XXI... Os banheiros valem a visita! Café da manhã £14. £200-275.

HOTÉIS DE ALTO LUXO

Tome um chá seguindo a autêntica tradição inglesa, domingo à tarde. É necessário reservar.

St Pancras Renaissance Hotel (**D** D3)
→ *St Pancras Station, Euston Rd Tel 020 7841 3540 www.marriott.com*
Um recanto de luxo para quem acaba de descer do Eurostar: 245 quartos e suítes atrás da esplêndida fachada da Estação St Pancras (1873). O destaque é a suíte real, antigo salão de baile veneziano. Chá £32-42 (com champanhe). £208-280.

The Ritz (**A** A1)
→ *150 Piccadilly Tel 020 7493 8181 www.theritzlondon.com*
Hotel de luxo, tradicional, construído em 1906 em estilo Luís XVI. Café da manhã £29-52. Chá £45-57 (com champanhe). Quartos a partir de £300.

Claridge's (**E** D4)
→ *49 Brook St Tel 020 7629 8860 www.claridges.co.uk*
Inaugurado em 1812, o Claridge's sempre atraiu a família real e os astros de cinema. Chá £39-63 (com champanhe). Café da manhã £26-37. A partir de £300.

METRÔ, ÔNIBUS

Informações 24h
→ *Tel 0843 222 1234 www.tfl.gov.uk*
São nove zonas. As zonas 1 e 2 abrangem o centro.

Metrô e DLR
→ *Seg-sáb 5h30-0h30, dom 7h-23h30 (certas linhas sex-sáb non-stop)*

Metrô
Doze linhas. Algumas estações fecham nos fins de semana ou fora dos horários de pico.

Docklands Light Railway (DLR)
Linha de monotrilho.

Ônibus
→ *Diariam 5h-24h*
Verifique o destino na frente do ônibus (alguns não fazem todo o itinerário da linha).

Ônibus noturnos (Night Buses)
→ *Alguns até 5h*
A maioria para na Trafalgar Square.

Tarifas

Metrô e DLR
→ *Bilhete (zonas 1-2): £4,80*
→ *Com Oyster Card (zonas 1-2): £2,30-2,90 por trajeto, a depender do horário (cobrança máx. para 1 dia: £6,40)*

Ônibus
→ *Bilhete: £2,40 (não é vendido a bordo)*
→ *Com Oyster Card: £1,50*
→ *Passe de 1 dia: £5*

Oyster Card
→ *£5 pelo cartão; compra no local ou pela internet (com postagem)*
Cartão de metrô e ônibus recarregável.

London Travelcard
→ *Em bilheterias ou máquinas; 1 dia: £12; 7 dias: £32,10 (zonas 1-2)*
Ônibus, metrô e trens.

Menores de 11 anos
→ *Transportes gratuito*

Andar de black cab e de ônibus panorâmico
O que seria de Londres sem seus táxis pretos e seus ônibus vermelhos? Espaçosos, os famosos cabs enfrentam o trânsito com serenidade, oferecendo aos passageiros o conforto de uma carruagem. Por sua vez, os ônibus panorâmicos permitem ver a cidade do alto!
→ *Pegue um táxi para percorrer o The Mall* (**A** B2-C1) *e ande nos ônibus da linha 15, que datam dos anos 1940-50.*

Ir a um pub na happy hour
Taberna escura ou casinha florida, o pub, sempre simpático, tem seu pico de público por volta das 18h, hora em que os londrinos se encontram em torno de uma cerveja. O clima transborda até a rua e nos parques, para onde todos levam seus copos.
→ *The Blackfriar* (**C** B4), *pela decoração e pelas cervejas*

Comer comida indiana
Muito presentes em Londres, as comunidades do subcontinente indiano desenvolveram sua culinária na cidade, onde é mais saborosa do que em qualquer outro lugar. No centro de Banglatown, o nome de Brick Lane (**J** A1) evoca prontamente as curry houses, numerosas e baratas. Por todo lugar encontram-se finos restaurantes que servem pratos variados e pouco conhecidos.
→ *Masala Zone* (**B** A3), *ótima rede de restaurantes*

Assistir a um espetáculo
Tradição desde Henrique VIII (1509-47), época em que a arte cênica e o recital se desenvolveram na cidade. Prova disso é o Globe (**I** B1), no New Globe, cópia autêntica do teatro de madeira de Shakespeare. No West End (**B**), rival da Broadway nova-iorquina, a comédia e o musical reinam em locais como Strand, Piccadilly Circus, Leicester Square e Soho, formando a famosa "Theaterland". Todos os verões, a prestigiosa rotunda do Royal Albert Hall (**G** B1) recebe os BBC Proms, ciclo de "concertos-passeios" a preços populares, a cuja última noite, The Last Night, ninguém falta.
→ *Ingressos com 50% de desconto na TKTS* (**B** C4) *da Leicester Square Seg-sáb 10h-19h, dom 11h-16h*

Dançar até de manhã
Da casa noturna ao bar dançante, design ou trash, do rock desenfreado ao concerto de jazz, Londres é uma capital da noite. Embora o Soho (**B**) continue sendo o centro original da vida noturna, as tendências levam cada vez mais para o East End: Islington (**D**), Hoxton, Shoreditch (ou "Sosho") (**C**). É uma oportunidade para desvendar toda noite uma cena musical fenomenal e eclética, montando sempre um figurino delirante.
→ *Vá ao Fabric* (**C** A2), *um clube mítico*

ROUPAS VINTAGE

CHÁ DA TARDE

BOROUGH MARKET

93 FEET EAST

Transportes e hospedagem

TÁXIS

Black cabs
Se a luz no teto estiver laranja, o táxi está desocupado. Pare o veículo e diga ao motorista aonde você quer ir antes de subir.
Bandeirada £2,40, mais £5,20-8,80 a 1ª milha

Dial a Cab
→ *Tel 020 7253 5000 ou 020 7426 3420 (pagamento com cartão de crédito)*

Mini Cabs
24h por telefone; tarifas negociáveis. Em geral, mais baratos que os Black Cabs. Chame uma empresa licenciada.

Addison Lee
→ *Tel 0844 800 6677 www.addisonlee.com*

TÁXIS (BLACK CABS)

ESTAÇÃO DE METRÔ

TRENS, ESTAÇÕES

Charing Cross (**A** D1)
→ *Canterbury, sudeste*

Euston (**D** C3)
→ *Glasgow, noroeste*

St Pancras International / King's Cross (**D** D3)
→ *Edimburgo, nordeste*

Liverpool St. (**C** E3)
→ *Nordeste de Londres*

Paddington (**F** F1)
→ *Cardiff, oeste*

Victoria (**A** A4)
→ *Brighton, sul*

Waterloo (**H** B3)
→ *Dover, sul, sudoeste*

London Bridge (**I** D1)
→ *Sul*

Informações e reservas
→ *Tel 0845 748 4950 www.nationalrail.co.uk*

Tel 020 7460 4910 www.portobellogold.com
O telhado-terraço serviu de cenário para um trecho do filme *Um lugar chamado Notting Hill*. Poucos quartos, agradáveis e reformados em 2015, acima de um bar com teto de vidro; suíte Honeymoon (cama de dossel) e, no telhado, apartamento para seis pessoas. Considerando-se o bairro, não espere um lugar muito calmo... £80-135; a partir de £150 o apartamento na cobertura.

Morgan Guest House
(**G** F2)
→ *120 Ebury St Tel 020 7730 2384 www.morganhouse.co.uk*
Em uma construção em estilo georgiano, esse simpático B&B é confortável e bem iluminado. Lareira em alguns quartos (a da sala de jantar ocupa a parede inteira). £85 (sem banheiro)-110.

A Better Way to Stay
(fora do mapa **F** A4)
→ *31 Rowan Rd Mº Hammersmith Tel 020 8748 0930 www.abetterwaytostay.co.uk*
Dois estúdios e dois quartos pelos quais vale a pena sair um pouco do centro. Tranquilo, com conforto e bom gosto, para quem quer se sentir em casa. £90-130 (mínimo de duas noites ou £20 de extra).

MAIS DE £100

La Gaffe
(fora do mapa **D** A1)
→ *107-111 Heath St Mº Hampstead Tel 020 7435 8965 www.lagaffe.co.uk*
No coração do calmo bairro de Hampstead, um B&B confortável e há muito gerido por uma família italiana. Pátio, terraço e banheiro em todos os quartos. £100-130.

Amsterdam
(fora do mapa **G** A2)
→ *7 Trebovir Rd Mº Earl's Court Tel 020 7370 5084 www.amsterdam-hotel.com*
Para conhecer os museus de South Kensington, um belo hotel com ambiente aconchegante. Alguns quartos têm vista para o arborizado jardim. £100-140.

Luna Simone Hotel
(**A** B5)
→ *47-49 Belgrave Rd Tel 020 7834 5897 www.lunasimonehotel.com*
Um hotel familiar repleto de vivacidade. Serviço dinâmico e eficaz, e 36 quartos espaçosos em tons pastel. £100-150.

Garden Court Hotel (**F** D1)
→ *30-31 Kensington Gardens Sq Tel 020 7229 2553 www.gardencourthotel.co.uk*
Esse hotel, perto dos Kensington Gardens, tem ares domésticos e é dirigido pela mesma simpática família há mais de 60 anos. Belos quartos, equipados com TV de tela plana, e lindo jardim para tomar chá nos dias de sol. £100-160.

Hampstead Village Guesthouse
(fora do mapa **D** A1)
→ *2 Kemplay Rd Mº Hampstead Tel 020 7435 8679 www.hampsteadguesthouse.com*
Uma encantadora mansão do séc. XIX, com nove quartos diferentes, bem iluminados, cheios de livros e de mobiliário antigo resgatado pelos donos. Localizada numa bela rua, com casas bonitas e jardins floridos. Estacionamento privativo. Café da manhã £9. £105 (sem banheiro)-125.

Georgian House Hotel
(**A** A5)
→ *35-39 St George's Drive Tel 020 7834 1438 www.georgianhousehotel.co.uk*
Instalado em três elegantes mansões do séc. XIX, a 3min da Victoria Station, esse grande B&B muito charmoso propõe quartos elegantes, porém pequenos, e alguns apartamentos. English breakfast completo. £105-160.

MAYOR OF LONDON

tfl.gov.uk

24 hour travel information 0343 222 1234*

*Service and network charges may apply. See tfl.gov.uk/terms for details.

Reg. user No. 14/M/2753/P

Improvement works may affe